S. R. Curtis

ZORRO
Diebe und Betrüger

S. R. Curtis

Zorro

Diebe und Betrüger

Aus dem Amerikanischen
von Elfi Groß

Hoch Verlag · Stuttgart – Wien

Die Deutsche Bibliothek-CIP-Einheitsaufnahme
Curtis, Sandra R.:
Zorro / S. R. Curtis.
Stuttgart; Wien: Hoch.
Bd. 3. Diebe und Betrüger
[Aus dem Amerikan. von Elfi Gross]. – 1992
ISBN 3-7779-0510-0

Schrift: Baskerville 11/13
Satz: Wilhelm Röck, Weinsberg
Druck und Bindung: Clausen & Bosse, Leck

Inhalt

Die Hochzeit

Donnernde Hufschläge näherten sich dem Pueblo von Los Angeles, der kleinen spanischen Kolonie in Kalifornien, und störten die Stille des verschlafenen Sonntagmorgens. Mäuse huschten zurück unters Heu, Pferde wieherten erregt, bereit, aus dem Stall der Garnison fluchtartig auszubrechen. Vögel flatterten aufgescheucht von Ast zu Ast. Hufschläge verhießen Unheil, und Unheil schien inzwischen zum Alltag der einst so ruhigen, staubigen kleinen Stadt zu gehören. Seit der Alcalde Luis Ramon sich hier niedergelassen hatte, zog Los Angeles Gauner, Schwindler, Viehdiebe und Einbrecher geradezu an.

Wenn ein Unheil hereinbrach, erschien El Zorro, der Fuchs, ein maskierter, ganz in Schwarz gekleideter Mann. Auf seinem schwarzen Hengst Tornado preschte Zorro heran und verteidigte Arme und Unschuldige gegen Ungerechtigkeiten. Die Leute betrachteten ihn als ihren Retter. Selbst die umherstreunenden Hunde, die jeden Tag hinter Victorias Taverne um Fressen bettelten, wedelten bei Tornados Anblick erfreut. An die unfreundliche Behandlung durch die Soldaten gewöhnt, zogen die armen Tiere für gewöhnlich den Schwanz ein und liefen weg, wenn Reiter auftauchten.

Doch heute war alles anders. Gabriella und Jorge heirateten. Die donnernden Hufe, die sich dem Pueblo näherten, gehörten zum traditionellen Hochzeitszug. Freude und Fröhlichkeit lag in der Luft. Der große Platz summte schon seit den frühen Morgenstunden vor geschäftiger Vorbereitungen. Einige Frauen aus dem Pueblo halfen Victoria, die Taverne innen und außen zu schmücken. Ein riesiger Baldachin aus roter Seide war auf drei Meter hohen Holzpfosten mitten auf der Plaza aufgestellt worden, um den Festgästen, die den ganzen Tag hier feiern würden, etwas Schatten zu spenden. Lange Tische standen bereit, großzügig mit Früchten der Jahreszeit beladen – Melonen, Oran-

gen, Äpfel, Limonen und Trauben. Schon seit Tagen bereitete man gebratene Puten, Hähnchen, Tamales, Enchiladas, Süßspeisen, Rind- und Hammelfleisch für das große Fest zu.
»Hände weg, Mendoza!« schimpfte Victoria, als der Sergeant ein Stück Fleisch von einem Spieß, der sich in der Küche der Taverne über dem offenen Herdfeuer drehte, abziehen wollte.
»Aber, Señorita Escalante, das riecht so köstlich. Mein Magen ruft nach Futter«, bettelte der wohlbeleibte Sergeant.
»Auch Sie müssen warten, bis die Trauung vorüber ist, wie alle anderen«, antwortete Victoria und wischte sich eine Strähne ihres kohlschwarzen Haares aus dem Gesicht. Aber ihr freundliches Lächeln strafte ihren strengen geschäftigen Ton Lügen.
Ein paar herumstreunende Hunde erschienen an der Hintertür. Sie setzten sich auf die Hinterbeine und machten Männchen, die Zunge hing ihnen seitlich aus dem Maul.
»Ihr auch!« herrschte Victoria sie an und jagte sie von der Tür weg. Etwas entnervt fragte sie: »Sergeant, gibt es nicht irgendwas für Sie auf der Plaza zu tun? Vielleicht können Sie helfen, die langen Tische zu decken oder Stühle hinauszutragen. Irgend etwas, aber gehen Sie bitte raus.«
Mendoza griff nach seiner Mütze und eilte unter dem bunten Vorhang, der die Küche vom Gastraum der Taverne trennte, hindurch. Er stieß mit der kleinen Maria zusammen, die gerade einen Stapel leerer Servierbretter hereintrug.
»Mendoza! Sie benehmen sich wie ein Elefant im Porzellanladen!« rief Victoria aus.
»Sí, Señorita«, stammelte Mendoza entschuldigend und bückte sich verwirrt, um Maria beim Aufsammeln der Servierbretter zu helfen. »Tut mir schrecklich leid, Maria.«
Ihre großen, tiefbraunen Augen sahen zu ihm auf, und ihr hübsches Gesicht brachte Mendoza noch mehr in Verlegenheit. Er schluckte hart und hätte sich wegen seiner Ungeschicklichkeit am liebsten in ein Mauseloch verkrochen.

»Ich mach' das schon, Sergeant«, lächelte sie süß. »Ich glaube, Sie gehen lieber.«
Mendoza nickte mehrmals und preßte seine Mütze an die Brust. »Ich würde das gerne wiedergutmachen. Vielleicht gehen Sie bald einmal mit mir in der Taverne essen?«
Maria nickte scheu, während sie zum Ausgang deutete.
»Sí, sí, ich gehe schon«, wiederholte der Sergeant und durchschritt vorsichtig den Raum, damit er nicht noch mehr Schaden anrichtete. Marias Einverständnis freute ihn, und er betrachtete vergnügt, wie sich die Taverne verändert hatte. Frauen schmückten plaudernd die Tische, trugen Körbe voll Blumen herein und verteilten sie. Leuchtend rote Mohnblumen lagen neben wilden gelben Senfblüten und dunkelroten Kastileen. Ein wahrer Blumengarten breitete sich vor seinen Augen aus.
Mendoza schlich hinaus und bot Renaldo seine Hilfe an. Der Schmied trug ihm auf, den Boden, wo getanzt werden sollte, festzustampfen.
»Das ist doch Blödsinn, Renaldo«, protestierte der Sergeant, während er ein Knie hochzog und seinen Stiefel auf die harte Erde poltern ließ. »Jeden Tag trampeln hier Pferde den Boden viel stärker fest als ich das jemals könnte.«
»Jaime, du willst doch nicht, daß sich ein schlechter Schatten über die Hochzeit legt. Es ist so Brauch, daß die Erde, auf der getanzt werden soll, vorher festgestampft werden muß, und du bist der ehrenwerte Gast, der sie mit seinen Stiefeln beglücken darf«, lachte der kräftige Schmied.

Mit ernstem Gesicht saß Gabriella im Sattel vor dem silberhaarigen Don Alejandro de la Vega, einem wohlhabenden Großgrundbesitzer. Als Padrino oder Pate des Bräutigams kam ihm im Hochzeitszug ein Ehrenplatz zu. Der Pate des Bräutigams hatte die Aufgabe, die Braut zur Trauung zu geleiten. Heute ritt Alejandro auf einem stattlichen sandfarbenen Pferd mit schimmernder weißer Mähne zum Eingang des Pueblos. Er sah erfreut auf, als einige junge Caballeros an ihnen vorbeijagten. Vier junge Männer, über den Nacken ihrer Pferde gebeugt, schwenkten die Zügel im Takt ihres Galopps. Eine leichte Brise von Westen trug den aufwirbelnden Staub vom Hochzeitszug weg. Wer als erster Reiter das Ortsschild von Los Angeles erreichte, war Sieger. Der Preis, neben dem Geld, das die Caballeros ausgesetzt hatten, war ein Tanz mit der Braut. Für diese Ehre gaben sie ihr Bestes, denn alle beneideten Jorge um seine Liebste.

Gabriella war eine schwarzäugige Schönheit. Ihr Gesicht mit dem dunklen Teint strahlte Gesundheit, Kraft und Offenheit aus, das hatte sie von ihrer spanischen Mutter geerbt. Die Braut war in schlichter Eleganz gekleidet, sie trug ein mit grünen Bändern besetztes Kleid aus gelbem Satin, das ihrer jungen Figur schmeichelte. Ein bestickter, dreieckiger Schleier aus weißer Spitze war über ihre Schultern drapiert. Dichtes, lockiges, kastanienbraunes Haar floß über ihren Rücken hinab. Es schimmerte golden, ein Erbteil von ihrem irischen Vater, verstärkt durch lange Ritte in der Sonne. Ein Kranz aus gelben und weißen Blüten krönte ihr Haupt, sie glich einer frisch erblühten Frühlungsblume. Gabriella trug weiße Satinschuhe mit vorn hochgebogenen Spitzen, die ihr Bräutigam angefertigt hatte, wie das hier Brauch war. Eine Goldtresse hing vom Sattelknauf herab, um ihren Füßen beim Reiten Halt zu geben.

Don Alejandro lenkte das hellbeige Pferd mit leichtem Druck seiner Füße, die in den Steigbügeln von Gabriellas Sattel steckten. In den Händen hielt er die goldbesetzten Zügel. Die Stute ging fast tänzelnd und hielt den Kopf sehr hoch, als wüßte sie von der Bedeutung dieses Ereignisses. Auch ihr Ledersattel war mit goldfarbigen Spitzenborten geschmückt, im Maul trug sie silbernes Zaumzeug und in Mähne und Schweif hatte man goldene Bänder geflochten, die im Sonnenlicht glänzten.

Was für eine hübsche Braut, diese Gabriella, dachte Alejandro. Eines Tages werde ich auch zu Diegos Hochzeit auf einem so herrlichen Pferd wie diesem reiten. Ich freue mich, daß ich die Stute als Hochzeitsgeschenk ausgewählt habe, es war die richtige Entscheidung. Das Mädchen und das Pferd passen wunderbar zusammen – beide hell und golden wie die Sonne und beide mit einem verspielten, empfindsamen Wesen.

Alejandro beobachtete, wie elegant Gabriella ritt, sie hielt den Kopf hoch, den Rücken gerade und die Augen nach vorn gerichtet – ein Bild der Ruhe und Gelassenheit, hätte man meinen können. Doch Alejandro bemerkte beim näheren Hinsehen zu seiner Befriedigung, daß sie ab und zu verstohlen einen aufgeregten Blick zu ihrem geliebten Bräutigam zurückwarf.

Jorge, Alejandros Patensohn, ritt hinter ihnen. Er war aufwendiger als Gabriella gekleidet. Auf dem Kopf trug er einen gelben Hut aus südamerikanischer Lamawolle, geschmückt mit einer Glasperlenkette und Silberlitze, die hinten über den Hutrand herunterfiel. Seine kurze, tailliert geschneiderte Jacke war aus dem gleichen grünen Satin wie die Bänder auf Gabriellas Kleid. Seine schwarzen Samthosen schlossen am Knie mit goldenen Schnallen ab.

Jorges Ledersattel war reich bestickt. Silberstreifen waren in das Roßhaarzaumzeug und in Mähne und Schweif seines Pferdes eingeflochten. Vom tiefen Kastanienbraun der Stute hob sich der Silberschmuck wundervoll ab und zog die Blicke auf sich. Das Pferd reihte sich nervös in die Reihe ein, es spürte die Spannung des ganzen Zuges. Doch Jorge, ein ausgezeichneter Reiter, besänftigte es mit ruhiger Zügelführung und leichtem Druck auf die Unterseite seines Bauches.

Eine große Schar Hochzeitsgäste quoll aus der kleinen Kirche auf die Plaza heraus. Alle trugen ihre schönsten Sachen, die Frauen lange, farbenprächtige Kleider und die Männer reich bestickte Anzüge und Rüschenhemden. Sogar aus Monterey, weit im Norden, und San Diego, ganz im Süden, waren manche angereist. Auch der gutaussehende Francisco Ortega, ein Junggeselle auf Freiersfüßen, hatte den weiten Weg von Refugio, seinem Zuhause nördlich von Santa Barbara, nicht gescheut, um als Vertreter seiner Familie an dem Fest teilzunehmen. Die jungen Frauen konnten den Blick nicht von seinen tiefschwarzen Augen und seiner stolzen Haltung abwenden. Er stammte aus einer der reichsten Familien Kaliforniens.

Als Braut und Bräutigam vor dem Padre niederknieten, wurde die fröhlich plaudernde Menge still. Don Alejandro schlang eine Seidenschärpe mit Goldfransen um die Schultern der Braut. Victoria sah mit Tränen in den Augen zu, wie das Paar vom Padre gesegnet wurde. Don Diego de la Vega war tief berührt von Victorias Empfindung. Der Seufzer, der seinen Lippen entschlüpfte, ging in den Freudenrufen der Menge unter, die dem Paar Glück wünschten.

Don Diego de la Vega, der Sohn von Don Alejandro und das wahre Ich von El Zorro, hatte ein für ihn schmerzliches Doppelspiel begonnen, denn als Zorro hatte er Victorias Herz erobert und ihre Liebe gewonnen. In Augenblicken wie diesem spürte Diego sein zweites Ich schwer auf sich lasten. Wie gerne hätte er mit Jorge und Gabriella den Platz vor dem Padre getauscht. Er stellte sich vor, wie er selbst hier neben Victoria kniete und die Schärpe um ihre Schultern geschlungen würde.

Diego schüttelte unwillig den Kopf und tadelte sich selbst. Wirklich, Diego! Du kannst zwar jeden in der Stadt hinters Licht führen, aber vergiß nicht, daß du selbst an dieser Situation schuld bist. Du hast einen Don Diego de la Vega geschaffen, der seine Bücher und seine Studien so liebt, daß niemand hinter ihm Zorro vermuten würde. Du kannst es dir nicht leisten, dich durch romantische Schwärmereien zu verraten! Du mußt Zorros wahres Ich geheimhalten!

Niemand, auch nicht Diegos Vater, durfte wissen, wer El Zorro, der Fuchs, tatsächlich war. Es war riskant genug, daß Felipe, sein Gehilfe, es wußte, aber Diego brauchte einen Verbündeten. Der junge Mann lebte bei den de la Vegas, seit er mit fünf Jahren seine Eltern verloren hatte. Er war der ideale Partner: Er arbeitete auf der Hacienda und konnte deshalb Zorro helfen, unbemerkt zu kommen und zu gehen. Außerdem hielten alle Felipe für taubstumm. Doch der junge Mann hatte auch ein Geheimnis, das Diego zufällig entdeckt hatte: Felipe konnte hören! Zusammen waren sie ein unschlagbares Gespann.

Diego riß sich zusammen. Immer mit der Ruhe. Der Tag wird kommen, an dem Victoria ganz mir gehören wird. Wenn Zorro nicht mehr gebraucht wird, kann ich ihre Liebe für mich beanspruchen. Die schwierigste Aufgabe ist schon geschafft – ihr Herz habe ich bereits gewonnen.

Ganz in seine geheimen Gedanken vertieft, wurde Diego mit der begeisterten Menge nach draußen geschwemmt. Die Mariachi-Band ließ fröhlich ihre Gitarren und Geigen erklingen. Die großen Servierbretter, die Mendoza Maria aus den Händen geschlagen hatte, waren nun auf den Tischen verteilt und dampfendes, saftiges Fleisch war darauf aufgehäuft.

»Herzlichen Glückwunsch, Vater«, sagte Diego und klopfte Don Alejandro auf den Rücken. »Ich wünsche Jorge und Gabriella viele Kinder, die auf deinen Knien reiten können.«

»Ich würde lieber DEINE Kinder auf meinen Knien reiten lassen«, neckte ihn Alejandro.

»Alles zu seiner Zeit, Vater, alles zu seiner Zeit«, lachte Diego.

»Die Zeit ist jetzt!« scherzte Alejandro.

»Und wer wäre die passende Schwiegertochter?« fragte Diego schlagfertig. »Ich werde sie sofort zum ersten Tanz auffordern.«

Don Alejandro sah über die laute Menge hinweg. In diesem Augenblick trat Victoria aus der Tür der Taverne und lächelte strahlend, weil sie ein paar Freunde begrüßte. Sie ging anmutig, sah wunderbar aus in ihrer einfachen weißen Baumwollbluse mit im Nacken hochgestelltem Kragen und dem bunten langen Rock. Ein breites Band in Regenbogenfarben fiel über ihr schulterlanges, dunkles Haar herab.

Alejandro und Diego erblickten sie gleichzeitig. Jeder fing des anderen Blick auf, doch Diego schaute zu Boden, um dem forschenden Blick seines Vaters auszuweichen. Er zuckte mit den Schultern. »Nicht sie, Vater, ihr Herz gehört Zorro.«

Alejandro sah, wie Francisco Ortega sich Victoria vor der Taverne ntür entgegenstellte. Der junge Mann zog mit einer eleganten Verbeugung den Hut vor ihr. Victoria knickste höflich und entschuldigte sich dann, weil sie auf ein paar Freunde zugehen wollte. Francisco folgte ihr. Alejandro klopfte Diego beruhigend auf die Schulter. »Ortega läßt sich nicht so leicht abweisen«, meinte er und zeigte auf Francisco. »Ich möchte behaupten, er wird bald Liebeskummer haben, auch wenn er sehr gut aussieht und seine Familie hohes Ansehen genießt.«

Diego sah zu, wie Francisco Victoria umschwärmte. Auf diesen Mann muß ich wohl ein Auge haben, dachte er. Die Ortegas sind für ihren erfolgreichen Schmuggel in ihrem versteckten Schlupfwinkel in Refugio berühmt. Es ist keine Frage, was er tun würde, um das zu bekommen, was er haben will.

»Zurück zum Thema«, sagte Alejandro, »wir wollten eine passende Tanzpartnerin für dich und mögliche Schwiegertochter für mich finden.«

Erneut streifte sein Blick über die Menge. Vor der Schmiede stand Renaldo und unterhielt sich mit Don Emilio, dem Besitzer einer Hacienda mehrere Kilometer außerhalb der Stadt. Vor dem Eingang der Kirche half Jorge Gabriella von den Knien auf. Sie hatten gerade den Hochzeitssegen ihrer Eltern entgegengenommen. Strahlend gingen die beiden Jungvermählten durch die Schar ihrer Gäste.

Kinder spielten Fangen auf der Plaza und versteckten sich hin-

ter den weiten Röcken ihrer Mütter. Stöckeschwingend stritten sich andere, wer Zorro sein dürfe und wer als Alcalde gegen ihn fechten müsse. Ältere Paare saßen unter dem Baldachin und aßen von den reich beladenen Tischen. Junge Männer standen in Gruppen, warfen Münzen um auszulosen, wer gegen wen beim Armdrücken oder anderen prahlerischen Spielen antrat, mit denen sie sich vor den jungen Damen hervortun konnten. Die Mädchen warfen über ihre bunten Fächer hinweg verstohlene Blicke auf die jungen Männer, gut behütet von den aufmerksamen Blicken ihrer plaudernden Anstandsdamen.
Schließlich entdeckte Alejandro Maria, die mit Sergeant Mendoza sprach. »Dort«, sagte er, »Maria Costanza. Sie ist eine schöne junge Frau geworden und süß wie unsere kalifornischen Orangen.«
Diego lächelte. »Ja, Vater. Sie ist hübsch. Ich werde sie zum Tanz bitten, wenn der Sergeant nichts dagegen hat.«
Diego führte Maria zur Tanzfläche. Mendoza trat neben Don Alejandro.
»Eines Tages werde ich auch tanzen lernen«, erklärte er Diegos Vater. »Nur, meine Füße wollen nicht das tun, was mein Kopf ihnen sagt. Immer stehe ich plötzlich auf den Schuhen meiner Partnerin. Es wäre vielleicht nicht so schmerzhaft für sie, wenn ich leichter wäre.«
Alejandro unterdrückte ein Grinsen. »Haben Sie das Essen schon gekostet, Sergeant? Es sieht lecker aus.«
»Ich hab schon ein paar Bissen probiert, bevor die Feier anfing«, gab dieser zu, legte die Finger an die Lippen und küßte sie. »Muy bueno!« rief er aus.
»Warum zögern wir dann noch, machen wir uns daran«, schlug Alejandro vor.
Sie gingen auf einen der Tische zu, während fröhliche Volksmusikklänge die Plaza erfüllten. Diego und Maria standen sich mit anderen Paaren in zwei langen Reihen gegenüber. Sie bewegten

sich wiegend aufeinander zu, folgten dann ihrer Reihe, klatschten in die Hände und sangen, während sie vorwärtstanzten. Kurz vor dem Bogen, den eines der Paare mit den Händen über den Köpfen formte, vereinten sich die beiden Reihen.
Die Männer sangen: »Kleine Taube, flieg aufs Feld, sag den Jägern dieser Welt, schießen dürfen sie nicht dich, denn dein Liebster, der bin ich.«
Nachdem die Tänzer unter dem Armbogen hindurchgeschlüpft waren, bildeten sie zwei Kreise, die in entgegengesetzter Richtung gingen. Sie streckten ihre Hände nach jedem aus, an dem sie vorbeigingen, bis sie wieder zu ihrem ursprünglichen Partner kamen. Das Singen ging weiter.
Jorge führte Gabriella in die Mitte des Kreises und sang: »Unter all den Lilien schön, konnte ich mein Lieb' nicht sehn, denn mir war zuerst nicht klar, welch ein Engel sie doch war.« Die Menge klatschte Beifall.
»Reiten Sie nicht mit beim Carrera del Gallo, Diego?« fragte Maria ernsthaft, als der Tanz zu Ende war. »Darauf ist doch jeder erpicht.« Diego schüttelte den Kopf, während er sie zu Mendoza und seinem Vater zurückgeleitete. Victoria war dazugekommen, sie hatte Marias Frage gehört.
»Nicht Diego«, neckte ihn Victoria. »Er hält solche Spiele für grausam. Der unglückliche Hahn tut ihm leid.«
Diego verteidigte sich heftig. »Schon als Junge konnte ich solche Vergnügen nicht leiden. Einen Hahn bis zum Hals in den Sand einzugraben und mit einem Ruck wieder rauszuziehen! Stellen Sie sich vor, man steckt Sie gegen Ihren Willen in eine Grube, dann rast ein riesiges, vierbeiniges Tier in vollem Galopp auf Sie zu, und irgendein schreiender Kerl beugt sich herunter und zieht Sie am Hals heraus – entsetzlich! Meine Mutter war von El Gallo so angewidert, daß mein Vater noch heute, viele Jahre nach ihrem Tod, sich weigert, mitzumachen.«
Der Tag verging rasch, es wurde Abend. Auf der Plaza wurde

noch zum feurigen Rhythmus der Kastagnetten getanzt, während vor der Kaserne Reiter der Reihe nach auf den eingegrabenen Hahn zugaloppierten. Die Zuschauer schlossen Wetten ab und schrien begeistert auf, wenn es einem Reiter gelang, das kreischende Tier herauszuziehen. Wer danebengriff, wurde mit spöttischem Gelächter bedacht.

Felipe kam mit einigen seiner jungen Freunde zu Diego gelaufen. »Die Kutsche kommt!« gestikulierte er, und sein Gesicht lief vor Aufregung rot an.

»Eine wunderbare Nachricht, Amigo«, antwortete Diego und machte Felipe Zeichen, damit er ihn vor seinen Freunden nicht verriet. »Was habt ihr denn sonst noch gemacht auf dem Dach, außer nach der Kutsche Ausschau zu halten?« er lächelte und tat, als würde er Karten mischen. »Kleines Spielchen, was?« Felipe sah verlegen weg. »Heute ist ein Festtag, mein Freund. Tu, wozu du Lust hast!« bedeutete ihm Diego. »Ich hoffe, meine Bücher treffen endlich ein.«

Diego ging durch die Menge auf den Brunnen zu, an dem die Postkutsche halten würde. Die Zuschauer waren von den Reitkünsten Francisco Ortegas fasziniert. Als er an der Reihe war, zog er den Hahn mit einem halsbrecherischen Ritt aus dem Sand. Das Publikum brach in Beifall aus. Francisco war stolz auf seine Schau, denn er wollte die Damen von Los Angeles beeindrucken, besonders eine – Victoria Escalante.

Francisco machte ihr feurig den Hof, denn er war von ihrer natürlichen, ungekünstelten Schönheit bezaubert. Er hatte im Laufe des Tages mehrmals mit ihr getanzt, sie war reizend und tanzte sehr gut, aber sie verhielt sich nicht wie die anderen jungen Mädchen, die kicherten und mit ihm flirteten. Victoria war reserviert und zurückhaltend, was sie für ihn um so anziehender machte.

Diego bemerkte genau, wie fasziniert Francisco von Victoria war. Er beobachtete, wie der junge Mann mit dem Hahn in der

Hand triumphierend auf sie zuritt. Diego trat vor Victoria, ehe Francisco ihr die Trophäe verehren konnte, denn er kannte die symbolische Bedeutung dieser Handlung: Wenn ein Mann den gewonnenen Hahn einer Frau überreichte, so hieß das, daß er sie für sich erwählt hatte.

Entschuldigung, Francisco, sagte Diego im stillen und schob Victoria vor sich her auf die Menge zu, sie ist schon einem anderen versprochen.

»Gerettet durch die Postkutsche«, flüsterte Diego und Victoria lächelte, denn sie dachte, er meine den Hahn. Natürlich hatte Diego Victoria gemeint.

Die Leute liefen herbei und warteten, daß Luis Ramon die Post verteilte. Er rief die Namen der Bürger auf, an deren Adresse Briefe gekommen waren. Francisco zog sich enttäuscht zurück und ließ den unglücklichen Vogel einem älteren Bauern in die Arme fallen, der ihm überschwenglich dankte.

»Vielleicht ist ein Brief von Honorio Aragon für dich dabei«, sagte Diego. »Du hast noch nichts von ihm gehört, oder?«

»Noch nicht, Diego. Es wäre eine große Ehre, wenn ein so berühmter Pianist aus Europa in meiner Taverne spielen würde«, seufzte sie.

»Ja, das stimmt ...« antwortete Diego.

»Victoria Escalante«, rief der Alcalde mit seiner überlauten Stimme und unterbrach Diego.

Victoria kniff Diego in den Arm, während sie vom Alcalde den Brief entgegennahm. Rasch riß sie ihn auf. »Oh, wie schön!« rief sie aus. »Er hat zugesagt, Diego, er kommt in ...« Sie hielt inne, um die Tage nach dem Poststempel auszurechnen. Ein leichtes Erschrecken erfüllte ihren Blick. »... schon in einer Woche. Wie soll ich denn so schnell alles vorbereiten?«

Diego legte ihr beruhigend den Arm um die Schultern. »Mach dir keine Sorgen, Victoria. Mein Vater und ich werden dir helfen ...«

Erneut unterbrach ihn die dröhnende Stimme des Alcalde: »Don Diego de la Vega.«

Diego trat vor, um sein Paket entgegenzunehmen. Er ging zurück zu Victoria, während er es abwiegend hoch und nieder schwenkte. »Es fühlt sich nicht wie Bücher an.« Diego öffnete das Siegel und zog eine Musikpartitur heraus. »Was für eine schöne Überraschung! Ich habe dir doch von Don Audre, meinem Freund aus Madrid erzählt. Er hat mir eine neue Komposition von diesem Beethoven geschickt. Es ist dessen neunte Symphonie.« Diego überflog die Partitur und summte das Hauptthema vor sich hin.

»Es klingt so fröhlich«, sagte Victoria, »genau das richtige für diesen Tag!«

»Ja, und eine willkommene Abwechslung zu dem lauten Fandango! Für Tänzer mag das ja schön sein, aber meine Ohren brauchen Erholung von dem ständigen Kastagnettengeklapper!« lachte Diego und hielt sich die Ohren zu.

»Reitest du mit dem Hochzeitszug zu Jorges Hacienda zurück?« fragte Victoria.

»Ich glaube, für heute habe ich genug gefeiert«, antwortete Diego durch das fröhliche Geplapper der Menge hindurch.

»Noch zwei letzte Briefe«, rief Ramon aus. »Einer ist für mich«, ergänzte er lächelnd und roch an dem parfümierten Umschlag, ehe er ihn selbstgefällig in seiner Brusttasche verschwinden ließ. »Und der letzte ist für – Don Jaime ... Mendoza?«

Die Leute hörten auf zu reden. Alle, auch der Alcalde, schauten Mendoza an. Der Sergeant wurde ganz kleinlaut unter so vielen erstaunten Blicken. »DON Jaime Mendoza?« fragte er mit rauher Stimme. Der Alcalde nickte.

Ein neuer Don

Mendoza schluckte trocken, als Luis Ramon ihm den Brief aushändigte. Seine Hand zitterte, er wagte nicht, ihn zu öffnen. Der Brief war tatsächlich an Don Jaime Mendoza adressiert.
»Nun, Sergeant, wollen Sie ihn nicht aufmachen?« fragte der Alcalde ungeduldig.
»Sí, sí, Señor. Es ist nur – vielleicht hat sich jemand geirrt. Vielleicht gibt es noch einen Jaime Mendoza. Wenn ich ihn aufmache, mache ich mich da nicht strafbar?« fragte er verunsichert.
»Nein, Mendoza. Nicht, wenn Sie ihn in ehrlicher Absicht öffnen«, antwortete der Alcalde.
»Aber ich weiß nicht, was für eine Absicht ich habe«, rief Mendoza aus.
»Sergeant, ich kenne keinen Mann mit ehrlicheren Absichten als Sie«, beruhigte ihn der Alcalde.
Mendoza senkte den Kopf, das Lob des Alcalde brachte ihn in Verlegenheit. »Wie? Also ..., Dankeschön ...« begann er.
»Sie sind zu dumm dazu, etwas Unehrliches zu tun!« murmelte Ramon, griff gereizt nach dem Brief und riß ihn auf. »Hier steht, daß ...« Seine Augen weiteten sich vor Überraschung, und er las stumm weiter. Verblüfft gab er den Brief Mendoza zurück und musterte ihn von Kopf bis Fuß, dann schüttelte er ungläubig den Kopf.
»Unser hochgeschätzter Alcalde ist selten sprachlos«, flüsterte Diego Victoria zu. »Ich möchte wissen, was in dem Brief steht.« Er schob sie näher zu Mendoza hin. Erschüttert gab der Sergeant das Schreiben an Diego weiter.
»Bitte, Don Diego, lesen Sie mir die schlechte Nachricht vor«, sagte er, nahm seinen Hut ab und fummelte an der Krempe herum.
»Wenn Sie darauf bestehen, Sergeant.« Diego überflog rasch die Zeilen, ein breites Lächeln erschien auf seinem Gesicht. Er

schlug Mendoza anerkennend auf den Rücken. »Herzlichen Glückwunsch, Sergeant!«

»Glückwunsch?« wiederholte dieser, seine Stimme klang immer verzagter.

»Hier steht, daß Sie der stolze Besitzer der Hacienda von Don Portillo draußen vor der Stadt sind«, erläuterte Diego.

Mendoza taumelte zurück und fiel in Ohnmacht. Einige junge Frauen kamen ihm zu Hilfe. Maria hob seinen Kopf hoch und wedelte ihm mit ihrem Fächer Luft ins Gesicht.

Als er zu sich kam, lächelte ihn Maria zärtlich an. Er seufzte tief und lächelte zurück. Diego bot ihm die ausgestreckte Hand. »Amigo, lassen Sie mich als ersten Sie in den Reihen unseres Landadels willkommen heißen.«

Mendoza setzte sich auf und schüttelte Diego die Hand. »Wie kommt das, Don Diego? Ich weiß, Portillo ist ein entfernter Vetter von mir, aber er hat eine große Familie in Mexico City.«

»Es scheint, die große Familie hat er gehabt«, sagte Diego.

»Madre de Dios!« rief Mendoza aus und griff nach Marias Fächer, um sich raschere Kühlung zu verschaffen.

Diego las den Brief noch einmal. »Offensichtlich haben die Behörden bei genauer Überprüfung des Toten und seines Vermächtnisses festgestellt, daß Sie sein einziger lebender Verwandter sind«, erklärte er.

Mendoza saß eine Weile still und verdaute die Nachricht. »Also bin ich jetzt ein Don, wie Sie, Don Diego?« bemerkte er ungläubig.

»Es scheint so, Sergeant, ich meine, Don Jaime«, korrigierte sich Diego.

Mendoza sprang auf und zog mit vornehmer Miene seine Weste straff. »Das muß gefeiert werden! Amigos«, wandte er sich an die Kapelle, »spielt eine Bamba, por favor! Jemand soll ein Glas Wasser holen. Also, wer will tanzen?« fragte er und drehte sich zu den jungen Damen, die ihn umstanden.

Maria trat schüchtern vor. Die Menge wich zurück, um ihnen Platz zu machen. Gitarren und Geigen begannen in langsamem, gleichmäßigem Takt. Einer der jungen Caballeros reichte Maria einen Becher mit Wasser. Vorsichtig stellte sie ihn auf ihren Kopf. Mendoza zog sein Taschentuch heraus, band zwei Enden zusammen und legte es auf den Boden. Maria begann zu tanzen, es waren komplizierte Schritte.

Je schneller das Tempo der Bamba wurde, desto höher stieg die Begeisterung der Menge. Vorsichtig, damit das Glas Wasser auf ihrem Kopf nicht kippte, hob Maria das Taschentuch mit dem Fuß auf und steckte es in ihren Rockbund. Andere Männer machten Knoten in ihre Taschentücher und legten sie auf den Boden. Die Menge klatschte fröhlich, als Maria auch das dritte aufhob. Schließlich nahm ihr Mendoza das Glas vom Kopf und hob es hoch, um die Leute zu noch mehr Beifall aufzufordern. Bravorufe und Glückwünsche schallten über die Plaza. Mendoza ließ Maria einen Schluck trinken und führte sie dann von der Tanzfläche herunter.

Sie gingen an Jorge vorüber, der Maria seinen Hochzeitshut aufsetzte. Einige andere Männer zeigten ihre Anerkennung ebenfalls, indem sie ihren Hut Maria aufsetzten, bis sie einen ganzen Turm trug und beim Balancieren Schwierigkeiten bekam. Mendoza führte sie zu einem Stuhl. Vorsichtig setzte er seinen schweren Militärhut noch oben drauf, der Stapel kam gefährlich ins Schwanken. Dann kippte er und fiel auf den Tanzboden. Die Hüte rollten nach allen Seiten weg, zur Freude aller kreischenden Kinder. Die Männer jagten den Kleinen, die sich die Hüte geschnappt hatten, nach und gaben ihnen ein paar Münzen, um ihren Hut zurückzukaufen. Dann gingen sie zu Maria, um auch ihre Geschicklichkeit beim Tanz mit etwas Geld zu belohnen.

Als sich Schatten über die Plaza breiteten und die letzten Sonnenstrahlen verschwanden, ritt die Hochzeitsgesellschaft aus dem Pueblo hinaus in Richtung auf Jorges Hacienda. Don Alejandro ritt allein hinter Braut und Bräutigam, die nun zusammen auf ihrer hellen Stute saßen; ein glückliches, schönes Paar. Die Caballeros setzten ihre wilden Spiele fort. Sie warfen Münzen auf den Weg und versuchten, mitten im scharfen Galopp sich so tief hinunterzubeugen, daß sie die Geldstücke aufheben konnten.

Diego trabte auf Esperanza, seiner treuen hellgelben Stute, nach Hause zurück. Die Stute war die Mutter von Jorge und Gabriellas Pferd, das sein Vater den beiden zur Hochzeit geschenkt hatte. Diego war zufrieden mit dem Fest, das er miterlebt hatte, und überzeugt, daß Zorro heute abend nicht mehr gebraucht werden würde. Er freute sich auf einen angenehmen Abend und ruhige Lesestunden in der Bibliothek der Hacienda.

Spät in der Nacht untersuchte Diego einige alte Knochen, die er in einer Teergrube in der Nähe der alten Portillo-Hacienda gefunden hatte. Seine Augen wurden müde, und er ließ die Gedanken schweifen. Seltsam, dachte er, daß diese seit langem verlassene Hacienda nun Mendoza gehörte. Jaime Mendoza, der dadurch nun auch zum Landadel gehörte. Er war zum Don erhoben worden, daran mußte man sich erst gewöhnen.

Felipe stürmte durch die Eingangstür der Hacienda herein, er war noch ganz erhitzt von den Aufregungen des Tages. Er und Alejandro waren gerade erst von der Hochzeitsgesellschaft, die auf Jorges Hacienda noch weitergefeiert hatte, zurückgekommen. Der junge Mann ließ sich neben Diego in einen Sessel fallen. Dann nahm er einen der teergeschwärzten Knochen, die vor Diego auf dem Schreibtisch ausgebreitet lagen, in die Hand und begann, ihn zu untersuchen.

»Wenn man überlegt, Felipe ... der gleiche Teer, den wir für

alles Mögliche benutzen, für Dächer, Fischerboote, hier hat ihn die Natur dazu benutzt, diese Knochen wer weiß wie viele Jahrhunderte lang zu konservieren«, erklärte Diego angeregt.
Felipe sah das Knochenstück prüfend an. Diego nahm zwei andere in die Hände und versuchte sie zusammenzusetzen.
»Ich möchte wissen, welchem Lebewesen die einmal gehört haben«, überlegte er laut und fügte lächelnd hinzu: »Wie freundlich von Mutter Natur, uns solche Rätsel aufzugeben. Aber heute nacht werden wir sie nicht mehr lösen. Heute nacht werden wir von diesem schönen Tag träumen, nicht wahr, Felipe?«
Der junge Mann lief rot an. Erregt gestikulierend berichtete er Diego von einem Rennen, das er auf Jorges Hacienda gewonnen hatte – ein kurzer Ritt in die Nacht hinaus, um ein weißes, am Boden liegendes Taschentuch zu suchen, und dann sofort wieder zurück. Er bebte noch vor Aufregung über seine Schnelligkeit und seinen Sieg.
»Du bist ein vortrefflicher Reiter geworden, Felipe«, lobte ihn Diego. Flüsternd fügte er hinzu: »Ein Können, das Zorro sehr zu schätzen weiß.«
In diesem Moment betrat Don Alejandro den Raum. Diego zwinkerte Felipe zu, und sie beugten sich sofort über die Knochen, um Zorros Geheimnis zu bewahren.
»Ist das nicht eigenartig, daß ausgerechnet Mendoza der neue Besitzer der Portillo-Hacienda ist?« fragte Alejandro und ließ sich in einen Sessel Diego gegenüber sinken.
»Ja, gewiß, besonders nachdem sie so lange leer stand. Ich glaubte schon, man würde nie einen rechtmäßigen Erben finden«, versetzte Diego. »Ich bin noch immer verblüfft über Mendozas Geschichte. Ich habe immer geglaubt, er sei ein Waisenkind.«
»Seltsame Dinge passieren«, Alejandro lächelte in sich hinein. »Ein Waisenkind mit besonderem Glück, wie sich herausstellt, es hatte einen reichen Vetter zweiten Grades.«

Diego überlegte: »Ich frage mich, wie unser Glückskind von Sergeant es schaffen wird, ein Leben in Wohlstand und Muße zu führen.«

»Das wird sich erst mit der Zeit herausstellen. Aber nun ist's Zeit zum Schlafengehen. Wir haben einen ereignisreichen Tag hinter uns, es war ein wundervolles Hochzeitsfest«, sagte Alejandro, während er sich erhob, um hinauszugehen. »Gute Nacht, Diego – Felipe.«

Beide wünschten ihm ebenfalls gute Nacht.

»Es klingt, als ob es auch für uns Zeit wäre, Felipe«, schlug Diego vor und blies die Lampe aus.

Luis Ramon kehrte in den frühen Morgenstunden in sein Büro zurück. Er hatte diesen Tag mehr als jeden anderen seiner Amtszeit in Los Angeles genossen. Bei der Hochzeitsgesellschaft war er angenehm aufgefallen, er gratulierte sich selbst zu seinen Fähigkeiten als Tänzer. Bei den jungen Mädchen der Stadt war er als Tanzpartner begehrt. Er hatte das ermutigende Gefühl, daß sich der Widerstand gegen seine eisenharte Führung im Pueblo lockerte. Vielleicht würde ihm endlich der Respekt entgegengebracht, den er verdiente. Vielleicht würde er zum Schluß doch noch in den streng abgeschlossenen Kreis der aristokratischen Familien von Los Angeles aufgenommen.

Als er sein Jackett auszog und zu Bett gehen wollte, erinnerte er sich plötzlich an etwas und erstarrte. Mendoza gehörte jetzt zum Landadel. Das war wohl das Unsinnigste überhaupt. Dieser Hanswurst von einem Sergeant sollte ihm gleichgestellt sein. Wie absurd!

Grübelnd faltete Ramon sein Jackett zusammen, da spürte er den Brief, den er in die Brusttasche gesteckt hatte. Fast hätte er ihn vergessen! Rasch öffnete er den leicht duftenden Umschlag und überflog neugierig die Zeilen. Während er las, wurde sein

Gesicht immer länger. Seine Kusine Hermalinda Ramon kündigte ihren Besuch an.
Enttäuscht sank er in seinen Armlehnstuhl. Warum mußte sie ihm jetzt noch diesen schönen Tag verderben? »Jahrelang hat mich diese Frau gepeinigt«, murmelte er, »sie war die Geißel meiner Kindheit. Ich dachte, in Los Angeles hätte ich sie ein für allemal los. Warum will sie ausgerechnet den entferntesten Winkel des spanischen Königreichs besuchen? Was ist in sie gefahren, daß sie so eine anstrengende Reise unternimmt? Und was soll ich hier mit ihr anfangen?«
Während er sein Nachthemd über den Kopf streifte, kam Ramon die Erleuchtung. »Eine Romanze! Das ist es! Ich muß jemand finden, der sie begleitet und verwöhnt, solange sie hier ist. Egal, was es kostet, ich zahle alles, wenn sie mir nicht auf der Pelle sitzt. Malinda wird einem galanten Freier nicht lange widerstehen, sie ist immerhin eine Frau, oder nicht?«
Er kroch ins Bett und überlegte, wen er mit dieser Aufgabe betrauen könnte. Corporal Gomez fiel ihm ein. Er war noch ledig, sah nicht übel aus, war aber zu schüchtern. Der Alcalde verwarf ihn. Ich brauche einen Aristokraten, jemanden wie Don Emilio. Aber er ist zu arrogant, zu eingebildet. Dann schoß ihm die Lösung wie ein Blitz durch den Kopf. Zufrieden mit sich selbst, sank er in seine Kissen zurück.
Don Jaime Mendoza, dachte Ramon, genau der Richtige. Noch zu haben, Landedelmann, ein leichter Prahlhans, aber im Grunde ein Angsthase, und immer darauf bedacht, von den Frauen beachtet zu werden. Er würde sich bestimmt sehr geschmeichelt fühlen, wenn Malinda ihm ihre Aufmerksamkeit schenkte. Sie ist genau die Frau, die zu ihm paßt in seiner neuen Lebenslage. Außerdem ist sie eine ausgezeichnete Schneiderin, die ihn neu einkleiden könnte, also wäre sogar beiden geholfen. Ich bin ein Genie! Und ich müßte dem Dummkopf nicht einmal was dafür bezahlen.

Mit der zufriedenen Miene eines Mannes, der überzeugt ist, die Welt unter Kontrolle zu haben, schlief er ein.

Früh am nächsten Morgen wanderte Jaime Mendoza durch die heruntergekommene, von Spinnweben überzogene Portillo-Hacienda, seinem neuen Zuhause. Mit großen Augen lauschte er auf jedes Wort des mürrischen Hausdieners Torres, den er zusammen mit dem Besitz geerbt hatte.

»Und das ist der Empfangssalon, Señor Mendoza«, erklärte Torres.

»Ich kann es nicht glauben, Torres, das soll alles mir gehören«, sagte Mendoza voll Erstaunen. Ehrfürchtig ging er durch die verblichene Pracht. Unter hohen Gewölbedecken fiel durch sechs Meter hohe Bogenfenster das Licht auf Marmorböden und Kristallkronleuchter. An den Türdurchgängen standen leere Rüstungen, hinter denen sich die Tapete ablöste, Wache. Porträts von Kriegshelden auf prächtigen Streitrossen bedeckten die Wände. Obwohl Mendoza seit er erwachsen war beim Militär war, schüchterten ihn die Bilder eher ein, als daß sie ihm ein Gefühl des Zuhauseseins gaben.

»Als langjähriger Diener war ich sehr unglücklich, mit ansehen zu müssen, wie mein Herr die Hacienda verfallen ließ«, bemerkte Torres betrübt. »Aber wissen Sie, er war wie besessen von der Sage.«

»Was für eine Sage?« fragte Mendoza neugierig.

»Manchmal glaube ich, daß sie an der tödlichen Krankheit, die meinen Herrn befiel, schuld war«, fuhr der Diener fort. »Die Geschichte von dem Geist ...«

»Ein ... ein ... Geist!« rief Mendoza aus, seine Stimme zitterte schon beim bloßen Gedanken daran.

Torres zeigte auf ein eindrucksvolles Gemälde von Don Portillo über dem Kamin. Der graubärtige Mann trug ein drohendes Gesicht zur Schau. Mendoza preßte seinen Hut an die Brust.

»Hier, Don Portillos Onkel, der Bruder seines Vaters, der diese Hacienda vor vielen Jahren erbauen ließ. Er war so verzweifelt über eine unglückliche Liebe, daß er sich an diesem Kronleuchter erhängt hat«, erläuterte Torres und zeigte langsam auf das komplizierte Glasgehänge über ihnen. Mendoza schnappte nach Luft und trat vorsichtshalber einen Schritt zurück. »Auf diese Weise kam ihr entfernter Vetter in den Besitz dieses Hauses. Man sagt, daß der rachsüchtige Geist des Onkels seitdem in der Hacienda umgeht.«

Mendozas Augen kehrten angsterfüllt vom Kronleuchter zurück zu dem drohenden Bild seines entfernten Verwandten. Als er einen Schritt auf Torres zuging, quietschten die Dielen. Mendoza wäre fast vor Schreck aus den Kleidern gesprungen. »Sie sagen, daß es in der Hacienda ... spukt?« seine Stimme krächzte.

Ein Augenblick verging, bis Torres antwortete. Der Wind rauschte in den schweren Vorhängen an den Fenstern.

»Das, Señor Mendoza«, erklärte Torres, »müssen Sie selbst herausfinden.«

Der Diener wandte sich zum Gehen. Mendoza folgte ganz dicht hinter ihm. Als sie durch den Rundbogen der Eingangstür schritten, hörte Mendoza ein Klimpern. Er drehte sich schnell um und sah den Kronleuchter hin und her schwanken. Das Haus bebte. Mendoza schloß die Augen und flüsterte ein Gebet, dann stürzte er hinter dem Diener auf den Hof hinaus.

Ende und Anfang

Diego stand früh auf, entspannt und erfrischt. Er zog seinen Morgenrock aus Satin über, während er den melodischen Morgenrufen der Tauben zuhörte. Er zog den Duft der herrlichen Rosen seiner Mutter im Garten vor dem Fenster tief ein. Die

Sonne strahlte und versprach einen herrlich frischen Frühlingstag.
Plötzlich lief ein Beben durch die Hacienda und brachte ihn aus dem Gleichgewicht. Er griff nach der Fensterbank um Halt. Es war kurz, aber heftig. Diego, der in Los Angeles aufgewachsen war, hatte schon viele Erdbeben erlebt, aber er hatte sich nie daran gewöhnen können. Schnell lief er den Korridor hinunter zum Zimmer seines Vaters.
»Vater, ist alles in Ordnung?« rief Diego.
Don Alejandro begegnete ihm unter dem mit Schnitzwerk verzierten Türrahmen aus Mahagoni. »Mir geht's gut. Es war nur ein schwaches Beben, als würde die Erde gähnen und sich strekken, um uns ›buenas dias‹ zu sagen.«
»Es überrascht mich, daß dich das so ruhig läßt«, erwiderte Diego. »Ich will sehen, ob es Felipe auch gutgeht.«
»Gute Idee. Du weißt, man erwartet uns heute morgen bei Jorge. Kommst du mit?« fragte Alejandro.
»Nein, ich glaube nicht. Ich möchte an meinem Knochenrätsel weiterarbeiten«, antwortete Diego, »es reizt mich. Außerdem halte ich es nach diesem Beben für besser, wenn jemand zu Hause bleibt. Es könnte jeden Augenblick ein stärkeres folgen.«
»Wie du möchtest, mein Sohn. Aber du bist sicher der einzige, dem dieses Erdbeben in die Knochen gefahren ist. Die Hochzeitsgesellschaft wird heute weiterfeiern. Vielleicht kommst du gegen Abend nach?« schlug Alejandro vor.
»Vielleicht«, willigte Diego ein und ging, um Felipe zu suchen. Dabei murmelte er vor sich hin: »Wichtiger wäre es, wenn ich eine Möglichkeit entdecken könnte, Erdbeben vorauszusagen, damit die Leute sich darauf einstellen können.«
Diego fand den jungen Mann in der Küche beim Kaffeekochen und Zubereiten von Tortillas. »Mir geht's gut«, bedeutete Felipe mit Handzeichen, als er Diego mit besorgtem Gesichtsausdruck durch die Tür treten sah. »Alles in Ordnung hier.«

Diego ließ den Blick durch die Küche schweifen. Erleichtert atmete er auf, dann sah er aus dem Fenster und bemerkte Rauch am Horizont aufsteigen. Er machte Felipe darauf aufmerksam und zeichnete rasch ein »Z« in die Luft.
»Ich reite, sobald mein Vater weg ist«, sagte Diego. »Sattle zuerst sein Pferd und dann Tornado.«
Felipe räumte schnell den Tisch ab und eilte durch die Küchentür hinaus in den Korridor. Fast wäre er mit Alejandro zusammengestoßen. Der alte Herr de la Vega schloß gerade den letzten Knopf seiner kurzen Wildlederjacke. Felipe wich geschickt zur Seite aus.
»Warum so eilig heute morgen, Felipe?« fragte ihn Alejandro. Felipe machte Zeichen, daß er ihm das Pferd satteln wolle. »Darum wollte ich dich gerade bitten. Ich reite zu Jorge. Diego will nicht mitkommen, wie steht's mit dir, möchtest du dich mir anschließen?«
Felipes Gesicht erhellte sich beim Gedanken, das gestrige Fest fortzusetzen, doch dann fiel ihm ein, daß Zorro losreiten wollte. Er schüttelte den Kopf. »Nein«, gestikulierte er, »ich muß noch eine Menge Arbeit erledigen.«
»Gut, vielleicht kommst du auch später nach«, schlug Alejandro vor. »Ich werde meinen Kaffee schneller trinken als du mein Pferd bereitgestellt hast.«
Felipe rannte zum Stall, um Don Alejandros Pferd zu satteln. Dann lief er zurück zur Eingangstür, wo er Diego und Alejandro begegnete.
»Bitte grüße die Jungvermählten von mir, Vater«, trug Diego diesem auf. »Und viel Spaß beim Feiern.«
Alejandro zurrte die Kordel seines Reiterhutes unter dem Kinn fest. »Adios!« rief er und galoppierte davon.
Diego und Felipe winkten ihm nach, dann gingen sie durch die schwere Doppeltür ins Haus zurück. »Wir dürfen keine Zeit verlieren, Felipe. Los, in die Höhle.«

Felipe folgte Diego in die Bibliothek. Er wartete, bis Diego auf den Knopf in der Kaminverkleidung gedrückt hatte und die Geheimtür im Kamin aufging. Gebückt schlüpften beide hindurch und verschwanden in dem Geheimgang. Kein Tageslicht fiel herein, Felipe zündete Kerzen an, um die große Höhle zu erleuchten.

Halb fertiggestellte Versuche lagen auf den Arbeitstischen in der Hauptkammer. Regale voll Bücher standen an den Wänden. Zorros schwarze Kleider – Hut, Cape, Hemd, Hose und Maske, waren sauber aufgehängt und warteten auf ihren nächsten Einsatz. Sein wertvoller Degen, ein Geschenk von Diegos Fechtlehrer aus Madrid, hing über den Kleidern an der Wand, daneben Zorros Peitsche. Beim Geräusch ihres Eintretens ertönte ein fröhliches, leises Wiehern von Tornado, Zorros prächtigem schwarzen Hengst, der in der danebenliegenden kleineren Höhle wartete.

Eine unglaubliche Veränderung ging mit Diego vor, als er die Kleidung wechselte. Aus dem empfindsamen, gebildeten Wissenschaftler wurde der starke, mutige Verteidiger der Unterdrückten. Während Zorro seinen Degen in die Scheide gleiten ließ, zog Felipe noch einmal kräftig Tornados Sattelgurt fest. Als er fertig war, schlang Zorro seine aufgerollte Peitsche über den Sattelknauf und saß auf. Das Pferd wieherte und sprang mit einem Huf auf den Federmechanismus, der die verborgene Ausgangstür der Höhle aufspringen ließ. Sonnenlicht flutete durch das Buschwerk, das den Zugang verdeckte. Der Maskierte auf seinem schwarzen Roß preschte hinaus in die enge Schlucht unterhalb der Hacienda.

Der Wind bauschte sein Cape hinter ihm auf, als Zorro auf Tornado leicht über die Hügel galoppierte. Er hielt direkt auf die Rauchwolke am Horizont zu. Es sah aus, als käme sie von der Sanchez-Farm. Er preßte dem Hengst leicht die Absätze in die Seiten, Tornado reagierte sofort darauf und schoß schneller

voran. Zorro erkannte aus der Ferne, daß die Vorratsscheune der Sanchez brannte. Glücklicherweise war jetzt Pflanzzeit und keine Erntezeit, die Vorratsscheune war also fast leer.
Als Zorro eintraf, war Juan gerade dabei, in fliegender Hast Eimer voll Wasser auf die Holzkonstruktion zu schütten.
»Zorro!« schrie Juan dankbar. »Chulita, wir bekommen Hilfe!«
Seine Frau fächelte ihrem weißhaarigen Vater, der bewußtlos am Boden lag, den Kopf in ihrem Schoß, Luft zu. Ein kleiner Junge rannte auf Zorro zu, Tränen rannen ihm über die schmutzigen Wangen herunter. »Pablo ist eingeschlossen!« schrie er.
»Zeig mir, wo«, sagte Zorro. Er nahm den Jungen an der Hand und folgte ihm zu der brennenden Vorratsscheune. Unter einem heruntergebrochenen Balken wand sich ein kleiner gefleckter Mischlingshund und winselte jämmerlich. Seine Vorderpfote war unter dem verkohlten Holz eingeklemmt. Um ihn herum züngelten Flammen hoch.
Zorro ging sofort ans Werk, er benutzte sein Cape als Schutz vor den Flammen, die nach ihm schlugen. »Hierher, Juan«, rief er. Beide Männer schütteten mehrere Eimer Wasser auf den Balken und das Heu, so daß der Hund durchnäßt wurde. Rascher als die Flammen das trockene Holz um ihn herum vernichten konnten, stürzte Zorro hinein und stemmte den Balken hoch. Juan zog den Hund heraus, die Vorratsscheune ächzte und krachte.
»Lauft weg!« schrie Zorro gellend. Er nahm Benito, den Jungen, unter den Arm und lief an eine freie Stelle. Mit lautem Krachen stürzte die Scheune in sich zusammen. Benito wiegte den Hund in seinen Armen und vergrub seinen Kopf an dessen Schulter. Juan, Chulita und ihr Vater sahen in betäubtem Schweigen zu, wie das Feuer die Überreste fraß.
»Wir werden eine neue bauen, noch heute«, sagte Zorro. Juan starrte ihn verwundert an. »Heute ist die richtige Zeit dazu!«

sagte Zorro und erinnerte sich an die Worte seines Vaters. »Aber zuerst werden wir das Bein des Hundes schienen. In ein paar Wochen wird es wieder völlig gesund sein, Benito. Geh und hol die Axt deines Vaters.«

Am späten Nachmittag ritt Zorro zurück zur Hacienda der de la Vegas. Chulita hatte darauf bestanden, ihm ein paar von ihren getrockneten Pfefferschoten mitzugeben, ein dürftiges Dankeschön für seine Hilfe bei der Errichtung einer neuen Vorratshütte. An einer Schnur aufgereiht, die an Tornados Sattel festgebunden war, flatterten die Chilischoten über Tornados Flanken herab und irritierten ihn, so daß er danach zurückschnappte.

»Sie werden dir nicht schmecken, mein Freund«, lachte Zorro. »Sie sind scharf, deine Augen würden eine Woche lang tränen! Wie wär's mit ein wenig saftigem Frühlingsgras statt dessen?« Er zog die Zügel an, glitt aus dem Sattel und ließ Tornado am Abhang grasen.

Zorro ließ den Blick über das offene Land schweifen. Die Blumen, mit denen bei Gabriella und Jorges Hochzeit die Tische geschmückt waren, wuchsen hier überall – gelbe Senfblüten, dunkelrote Kastileen, knallrote Mohnblumen und kleine violette Lupinen. Er ging langsam den Hügel hinunter, ein abgebrochener Ast lag neben einer alten, knorrigen Eiche am Boden. Er war durch das Erdbeben herabgestürzt. Ein Rotkehlchennest lag unversehrt daneben. Zorro setzte das Nest vorsichtig in das Loch am Baumstamm zurück. Er streckte sich wohlig, er war mit dem, was er heute getan hatte, zufrieden. Er hatte zwar den »Fuchs« – el Zorro – deshalb erfunden, weil er seinen Vater und Victoria aus den skrupellosen Händen des Alcalde retten mußte, aber später hatte er entdeckt, daß es in der Gemeinde noch viele andere Notfälle gab. Die Armen brauchten mancherlei Hilfe, nicht nur gegen die tyrannische Unterdrückung durch

den Alcalde. Manche benötigten einen Fürsprecher. Oft übernahm Victoria diese Rolle, aber sie mußte die Taverne führen, das bedeutete viel Arbeit, die sie den ganzen Tag auf Trab hielt. Also sprang Zorro ein. Er kämpfte nicht nur klug und verteidigte die Armen gegen Ungerechtigkeiten, sondern erleichterte ihnen auch die Last des Alltagslebens. Sein Tun erfüllte ihn mit großer Befriedigung.
Tornado kam heran und rieb seine Nase an ihm, er hatte genug frisches Gras gefressen. Zorro stieg auf, um zur Hacienda zurückzureiten. Dabei kam er an einem Geröllhügel aus Granitsteinbrocken vorbei, von dem das leise Jammern eines Tieres herüberdrang. Zorro fand einen jungen Rotluchs an einem felsigen, steil abschüssigen Abhang. Es sieht aus, als wäre der Eingang zu seiner Höhle verschüttet, dachte Zorro nach einem kurzen, prüfenden Blick. Vielleicht durch das Erdbeben. Er stemmte zwei Felsbrocken vor der Höhle weg, so daß Licht und Luft hinein konnte. Drinnen entdeckte er zwei weitere verängstigte Junge. Sie miauten und leckten dankbar seine schwarz behandschuhten Hände.

Während Zorro übers Land ritt, packte Mendoza seine wenigen Siebensachen in die Truhe am Fußende seines Feldbettes in der Garnison. Er bürstete seinen roten Militärmantel ab und legte ihn sorgfältig zusammen. »Dich werde ich nicht mehr brauchen«, murmelte er zuversichtlich, während er ihn auf seine marineblaue Uniform legte. Als er die Truhe schloß, überkam ihn eine Welle des Bedauerns. Wehmütig ließ er den Blick durch das kleine Zimmer schweifen. »Es ist nichts Großartiges, aber es war lange Zeit mein Zuhause.« Mendoza schniefte und wischte sich eine Träne aus dem Auge.
»Mendoza!« ertönte die scharfe Stimme des Alcalde.
Der ehemalige Sergeant schlug automatisch die Hacken zusammen, bereit, den Befehl des Alcalde entgegenzunehmen. Doch

er ertappte sich selbst, denn es fiel ihm ein, daß er ja jetzt einen anderen Rang innehatte. Langsam lockerte er seine Haltung und zog sein dunkelgrünes Samtwams über der kräftigen Wölbung seines Bauches straff. Du kannst lange warten, Luis Ramon! dachte er stolz. Noch einmal blickte er rundum, dann hauchte er einen Abschiedskuß in den Raum. Er wandte sich um und schlenderte zwanglos ins angrenzende Büro des Alcalde.

»Mendoza, wo haben Sie gesteckt? Ich brauche ...« befahl der Alcalde und schwenkte Papiere in der Hand, ohne von seinem Schreibtisch aufzusehen.

»Sie müssen Corporal Gomez bitten, sie auf die Post zu bringen, Alcalde«, erwiderte Mendoza.

Der Alcalde richtete sich im Sessel auf, lehnte sich zurück und ließ das Bild auf sich wirken. Er legte seine Feder nieder, um Mendoza seine volle Aufmerksamkeit zu widmen. Ein freundliches Lächeln breitete sich auf seinem Gesicht aus. »Entschuldigen Sie, Sergeant – ich meine, Don Jaime. Sie haben ganz recht«, sagte der Alcalde. »Fesch sehen Sie aus in Zivilkleidung.«

Mendoza nahm eine überlegene Haltung ein, hielt den Kopf hoch erhoben, eine Hand in seiner Jackentasche, die andere auf seinem Degenknauf. Der Alcalde kam hinter seinem Schreibtisch hervor, um den frischgebackenen Don zu umkreisen. »Ich bin sicher, es wird nicht lange dauern, und die Nachricht von Ihrem gesellschaftlichen Aufstieg hat sich herumgesprochen. Bald werden alle heiratsfähigen Damen aus dem Pueblo und der Umgebung Ihnen heimlich Briefchen schicken und Sie bitten, ihnen einen Besuch abzustatten.«

Mendozas aufgesetzte Gemütsruhe war dahin: »Glauben Sie wirklich, mi Alcalde?«

»Ohne Zweifel. Aber Sie müssen wählerisch sein, Mendoza. Sie muß aus der richtigen Familie stammen. Eine aristokratische

Herkunft wäre von Vorteil, immerhin wird die Frau einmal Ihren Besitz erben. Sie wird die Mutter Ihrer Kinder, sie muß Ihrer würdig sein!« erklärte der Alcalde.
»Sie haben absolut recht, Alcalde«, stimmte Mendoza zu und nahm wieder eine würdige Haltung ein.
»Und Sie müssen entsprechend aussehen. Hier, diese Jacke hat Ihnen zwar gute Dienste geleistet«, der Alcalde fuhr mit dem Finger über den kleinen Riß an Mendozas rechter Schulter, dann betrachtete er die abgewetzten Ellbogen, »... aber sie hat schon bessere Tage gesehen.«
Mendoza sah hilflos auf seine staubigen Stiefel hinab. Verlegen rieb er die Spitze seines rechten Stiefels an der Hinterseite seines linken Hosenbeins blank.
»Ich glaube, Maria mag mich ganz gern. Haben Sie gesehen, was für eine Bamba sie auf der Hochzeit für mich getanzt hat?« sagte Mendoza zaghaft.
»Nein, nein, Mendoza! Sie ist eine einfache Bauerntochter. Mir geht da eine ganz andere im Kopf herum, mein lieber Freund, und mit ihr, das kann ich Ihnen sagen, würden Sie Ihr Glück machen!« verkündete Ramon und schlug ihm ermutigend auf den Rücken.
»Wirklich?« kam es überrascht von Mendoza.
»Meine Kusine Hermalinda Ramon kommt nächste Woche mit der Postkutsche an. Sie ist nicht nur eine der begehrtesten Schneiderinnen Europas, sondern sie stammt aus meiner adeligen kastilischen Familie. Sie wird Ihnen Anzüge nach der neuesten europäischen Mode schneidern, wie es Ihrem Stand angemessen ist, da wird selbst Don Alejandro neben Ihnen aussehen, als trüge er Bettlerkleidung!«
Der Alcalde legte Mendoza brüderlich den Arm um. »Wissen Sie, ich lasse meine Kusine natürlich nicht mit jedem Beliebigen in der Stadt Bekanntschaft schließen. Es liegt mir sehr am Herzen, daß sie einen standesgemäßen Gatten findet, wie man

das von einem wohlmeinenden Vetter wohl erwarten kann. Ich fühle mich für sie verantwortlich. Wir hatten immer, ja, man könnte sagen ... eine besondere Beziehung zueinander. In der Familie wird sie Malinda genannt, Sie können sie auch so anreden, Mendoza. Es wäre mir ein angenehmer Gedanke, Sie, Jaime, als zukünftiges Mitglied unserer Familie betrachten zu können, wenn Ihnen das recht ist.«

Mendoza wußte nicht, wie ihm geschah, er war völlig platt über die plötzliche Freundlichkeit des Alcalde. »Wie ... warum ... ja, natürlich, Alcalde«, stotterte er.

»Und sagen Sie Luis zu mir, einverstanden?« schlug Ramon vor.

»Sí, wenn Sie es wünschen ..., Luis«, antwortete Mendoza und erstickte fast beim Aussprechen dieses Namens.

Als er heraus war, lächelte er. Warum eigentlich nicht? dachte Mendoza. Ich bin jetzt adeliger Grundbesitzer. Ich bin genausoviel wert wie Luis Ramon. Vielleicht sogar mehr. Das einzige Land, das er besitzt, hat er den Bauern abgegaunert. Doch dann riß er sich zusammen. Ich muß besser aufpassen, was ich denke. Dieser Mann könnte vielleicht mein Vetter werden! Wenn ich mir das vorstelle! Er möchte, daß ich seine Kusine kennenlerne. Ob sie blond ist, wie der Alcalde, oder eher eine dunkelhaarige, klassische Schönheit?

Der Alcalde unterbrach Mendozas Tagträume. »Sie haben jetzt Zeit und Muße, Mendoza, aber ...«

»Nur eines noch ..., Luis. Ich möchte Ihnen sagen, daß es mir eine Ehre gewesen ist, Ihnen zu dienen, zum Ruhme Spaniens«, brachte Mendoza stolz hervor.

»Ja, Mendoza, ich danke Ihnen«, erwiderte Ramon. »Leider ist es uns nicht gelungen, Zorro zu fangen, das war unser einziger Mißerfolg.« Wenn Sie nicht so ein lahmer Dummkopf wären, hätten wir ihn bei mehreren Gelegenheiten kriegen können, dachte er bei sich. »Nun, Jaime, wenn Sie mich bitte

entschuldigen wollen, ich habe einen Pueblo zu leiten, Adios.«
»Oh, Verzeihung, Luis, nur noch eine Kleinigkeit. Ich möchte Sie gerne morgen in meine Hacienda zum Abendessen einladen. Ich gebe einen kleinen Empfang«, erklärte Mendoza.
Dieser unerträgliche Hanswurst! Jetzt will er gesellschaftlichen Umgang mit mir. Was tu ich nicht alles für dich, Hermalinda, dachte Ramon. »Vielen Dank, Señor, es wird mir eine Ehre sein.«
Mendoza strahlte über das ganze Gesicht. »Sie kommen? Sie kommen! Und mir wird es eine Ehre sein, Ihre Kusine kennenzulernen. Also dann, bis morgen. Adios!« verabschiedete sich Mendoza und ging rückwärts zur Tür hinaus.
»Mendoza, wären Sie so freundlich, mir beim Hinausgehen Corporal Gomez rüberzuschicken?« fragte Ramon und kehrte an seinen Schreibtisch zurück.
»Selbstverständlich, Señor«, antwortete Don Jaime und marschierte stolz nach draußen. »Gomez«, schrie er dann, als er den Corporal entdeckte, der auf einem Hocker in der Sonne döste. »Geh rein! Der Alcalde hat Arbeit für dich, du Faulenzer!«
Verdutzt sprang Gomez auf die Füße; Mendoza in Zivilkleidung war ein ungewohnter Anblick für ihn. »Du wirst deinen Grips jetzt etwas anstrengen müssen, hast du mich verstanden, Corporal? Wir haben hier ein Pueblo zu führen, und ich habe keine Lust, gute Dollars als Steuern zu bezahlen, damit du hier bei der Arbeit schlafen kannst! Los, beeil dich!«
Während Mendoza über die Plaza auf die Taverne zuging und den verblüfften Corporal im Staub stehenließ, kicherte Luis Ramon in sich hinein. Er konnte sich gratulieren. Hermalinda war versorgt, Don Jaime Mendoza war auf den Köder hereingefallen wie ein halbverdursteter Hund auf Wasser.
Er überlegte. Mendoza wird mir nie ebenbürtig sein, und wenn er in meine Verwandtschaft einheiratet, dann werde ich ihm seine jahrelangen, unzulänglichen Dienste heimzahlen. Er wird

nicht nur mit Malinda fertig werden müssen, sondern ich werde eine gesetzliche Grundlage schaffen, um ihm seinen neuen Besitz wieder wegzunehmen. Vielleicht erlasse ich eine Notverordnung für den Rechtsanspruch des ältesten Familienmitglieds oder ...

Während er über sein zukünftiges Vorgehen nachdachte, stürzte Corporal Gomez zur Tür herein. »Corporal, verteilen Sie diese neuen Steuergesetze überall im Pueblo, sofort!«

Die Sonne tauchte in den Pazifischen Ozean und überzog den Horizont mit orangerotem Schimmer. Mendoza unterhielt eine Gruppe Caballeros in der Taverne, darunter auch Don Diego und Don Emilio. Emilio gehörte der Besitz, der an Mendozas neuerworbenes Land angrenzte.

»Und Sie werden nicht glauben, was mein Diener Torres mir dann erzählte ...« sagte Mendoza und machte Victoria ein Zeichen. »Noch eine Runde für meine Freunde, Victoria, Ihren besten Wein. Nein, das geht auf mich! Ich spendiere die Runde!«

Die anderen in der Taverne bejubelten seine Bestellung. Victoria lächelte. »Ja, Sergeant – ich meine, Señor Mendoza.«

Mendoza fuhr mit seiner Geschichte fort. »Torres sagte, daß nach Don Portillos schrecklichem Tod sein Geist in meiner Hacienda herumspukt!« Mit gespielter Tapferkeit prahlte er: »Natürlich hab ich dieses Geschwätz keine Minute lang geglaubt!« Er pausierte einen Augenblick, »oder sollte ich, Don Emilio?«

»Ich verbringe schon mein ganzes Leben in der Nachbarschaft Ihrer Hacienda und ich kann Ihnen versichern«, antwortete Emilio, »daß ich noch kein einziges Gespenst gesehen habe. Wenn Ihnen das Ihre auf die Nerven geht, schicken Sie es rüber zu mir. Ich kann ein bißchen Abwechslung gebrauchen!« Die ganze Runde lachte schallend.

»Da habe ich den richtigen Zeitpunkt erwischt, Don Emilio, denn ich habe selbst für eine kleine Abwechslung gesorgt«, er-

klärte Mendoza, womit er sich an Don Diego und Don Emilio wandte. »Ich möchte Sie beide zu mir nach Hause einladen, ich gebe morgen ein Abendessen, um mein Glück zu feiern.«
»Ich bin sehr erfreut«, gab Don Emilio zurück.
»Ich ebenso«, antwortete Diego.
»Der Alcalde persönlich hat zugesagt«, sagte Mendoza stolz. »Er möchte mich sogar seiner Kusine vorstellen, wenn sie zu Besuch kommt.«
»Oho, das läßt sich ja wunderbar an für Sie«, sagte Diego fröhlich.
»Stellen Sie sich vor, der Mann, der mir früher Befehle erteilte, behandelt mich jetzt als Gleichgestellten!« strahlte Mendoza.
»Sie waren dem Alcalde immer ebenbürtig, Mendoza. Ich hatte gehofft, Sie stuften sich etwas höher ein«, schloß Diego.
Victoria kam mit dem Wein. »Hier bittesehr, Señor Mendoza.«
»Danke, Victoria. Kann ich Sie dazu überreden, mit uns morgen abend zu feiern? Es wird ein fürstliches Essen, ich habe sogar die Absicht, ein Spanferkel zu grillen!«
Victoria lächelte den rundlichen Mendoza an und gab ihm spöttisch einen Klaps auf den Bauch. »Natürlich. Solange niemand auf dem Fest sich wie ein Ferkel benimmt!«
Diego fing ihren Blick auf. Sie tauschten ein wissendes Lächeln, denn beide kannten sie sehr gut den unersättlichen Appetit des Sergeanten und seine abgrundschlechten Tischmanieren.

Alpträume

Torres hob die Truhe an der einen Seite hoch, während Mendoza die andere Seite von der klapprigen Carreta herunterhievte. Die handgefertigten Räder des Wagens wackelten in ihren groben Halterungen hin und her. Gemeinsam trugen die beiden

Männer die Truhe in die Portillo-Hacienda. Torres war überrascht über die mageren Habseligkeiten des ehemaligen Sergeant. Ihm wurde bewußt, daß Armut ein gemeinsamer Zug von Bediensteten und Militärangehörigen war, neben der Tatsache, daß beide ein Anrecht auf drei Mahlzeiten pro Tag und auf ein Zimmer hatten. Torres begann, sich seinem neuen Herrn überlegen zu fühlen. Er hatte in seinen Jahren als Diener sich viel mehr Sachen erworben als die armseligen paar Dinge, die er jetzt für Mendoza in die Schränke räumte.

»Ist das alles für heute abend, Sir?« fragte Torres und zog die Decken über das alte Bett, dessen seidener Baldachin schlapp herunterhing. Er war verblichen und von Motten zerfressen.

»Ich glaube ja, Torres«, antwortete Mendoza. »Danke.«

Der Diener hängte Mendozas grüne Samtjacke in den Schrank, dabei bemerkte er die abgewetzten Ellbogen und den Riß in der Schulter.

»Ich werde sehen, ob ich das für das festliche Abendessen morgen flicken kann, wenn Sie möchten«, bot er an. »Ein bißchen naturfarbenes Wildleder würde passen, wenn man saubere Flikken auf die Ellbogen setzt. Und diesen Riß nähe ich einfach zu.«

»Das wäre sehr freundlich«, sagte Mendoza. Er schämte sich seiner schäbigen Habseligkeiten und wollte vor dem Diener das wahre Ausmaß seiner Armut nicht zugeben. »Meine neuen Kleider werden erst fertig, wenn die Kusine des Alcalde eintrifft. Sie ist eine der besten Schneiderinnen Europas, müssen Sie wissen, sie näht für alle berühmtem Leute«, prahlte er.

»Sehr gut, Señor. Ich bin unten in der Halle, wenn Sie mich brauchen«, erinnerte Torres ihn.

Als der Diener die Tür geschlossen hatte, begann Mendoza sich auszuziehen. Vorsichtig sah er sich im Raum um. Der Wind rauschte in der großen Eiche vor dem Fenster, und einige ihrer Zweige streiften die Fensterscheiben mit einem kreischenden Geräusch, das durch den hohen Raum hallte. Mendoza streifte hastig sein weißes Leinennachthemd über und sprang ins Bett. Er zog die Decken über den Kopf, weil er sein Zittern nicht abstellen konnte. Langsam schob er die alte seidene Bettdecke ein Stück nach unten, so daß Augen und Nase heraussahen. Sein Blick suchte das Zimmer ab. Der Wind fuhr wieder in die Zweige des Baumes und ließ sie ärgerlich auf und nieder tanzen. Der Mond schien durchs Fenster und malte gespenstische Schatten an die Wand. Mit einem stöhnenden Laut fuhr eine Windbö durch die leere Regenrinne. Mendoza vergrub sich erneut unter seiner Bettdecke.

»Madre de Dios«, murmelte er zu Tode erschreckt. »Ich glaube, ich bin nicht für das Leben eines Don geschaffen.«

Fast die ganze Nacht wälzte er sich im Bett hin und her. Bei jedem Geräusch fuhr sein Körper unwillkürlich zusammen. Er zog die Decken fester um sich.

Woooooouuii ... heulte der Wind. Iiiiiiii ... kratzten die Zweige. »Oh ... oh ... oh«, stöhnte Mendoza.

In den frühen Morgenstunden setzte Mendoza sich auf, die Decken hielt er sich schützend unters Kinn.

Bling, blang, bling, blang, klingelten die Rüstungen wie Schritte durchs Haus. Die Geräusche wurden immer lauter. Die Farbe wich aus Mendozas Gesicht, bis er so weiß war wie sein Nachthemd. Er versuchte zu schlucken, aber seine Kehle war vor Angst zugeschnürt, er würgte.

Du bist Soldat, sagte Mendoza zu sich selbst, also, ein Soldat der berühmten spanischen Armee. Wovor hast du Angst? Du benimmst dich wie ein armes verängstigtes Waisenkind! schalt er sich. Genau das bin ich ja. Ich fühle mich genauso einsam und verloren wie als Kind, wand er gegen sich selbst ein. Nein, das bist du nicht, du bist jetzt ein Don! Du bist der stolze Besitzer dieser Hacienda. Benimm dich entsprechend! Wenn's sein muß, nimm deinen Degen in die Hand und stelle diese mitternächtlichen Possenspiele des Windes ab. Zeig ein bißchen von deinem Mut, den du beim Kampf mit dem berüchtigten Zorro an den Tag gelegt hast.

Entschlossen biß Mendoza die Zähne zusammen, kletterte aus dem Bett und griff nach seinem Degen. Seine gummiweichen Beine wollten unter ihm wegsacken, während er den Degen vor sich hin und her schwang. Er packte mit der freien Hand einen silbernen Kerzenleuchter. Zitternd wagte er sich auf Zehenspitzen in den Korridor hinaus. Er kam bis zum Ende, dann erstarrte er. »Jeeee ... uuuuh!« schrie er.

Ein bärtiges Gespenst mit Helm, Brustpanzer und Schwert stand undeutlich sichtbar im Dunkeln. Es glich dem Portrait von Don Portillo. Mendozas Hand zitterte, was die Kerzenflammen wild flackern ließ. Das flackernde Licht ließ das Bild vor seinen entsetzten Augen noch gespenstischer erscheinen.

Mendoza nahm all seinen Mut zusammen und fragte den Geist: »Wer ... wer bist du? Was ... was willst du?«

Mit knirschendem, gefährlichem Flüstern antwortete die Erscheinung: »Verlaß diesen Ort! Verlaß diesen Ort oder stirb!« Dann verschmolz es mit der Dunkelheit, während Mendoza vor Entsetzen wie gelähmt dastand.

Auch der Alcalde wälzte sich in dieser Nacht unruhig im Bett hin und her. Schweißgebadet stöhnte er: »Nein, nein, ich will keinen Käfer essen. Ich sag nichts. Ich tu, was du sagst, aber bitte, bind mich los.«

Das höhnische Lachen eines Kindes verfolgte ihn. »Warum nicht, Luis? Sie schmecken köstlich. Schau mal, wie die kleinen Krabbelfüße sich bewegen! Schau sie an!« Ein großes braunhaariges Mädchen hielt ihm das Tierchen direkt vor die Augen. Sie berührte damit seine Nase. Er schrie. Sie lachte. »Was bist du nur für ein Weichling, Luis. Warum hab ausgerechnet ich so eine Heulsuse zum Vetter? Wo ist der berühmte Mut der Ramons? Wo sind sie, die Nerven aus Stahl und der furchtlose Eroberungsdrang?«

Sie wandte sich ab. Er seufzte erleichtert auf in der leisen Hoffnung, das entsetzliche Erlebnis überstanden zu haben. Verzweifelt drehte er seine Handgelenke, um die Seile zu lockern, mit denen sie ihn an den Holzpfosten hinter seinem Rücken gebunden hatte. Aber er hatte kein Glück. Plötzlich drehte sich das Mädchen um, die junge Hermalinda packte seinen Unterkiefer und zog ihn herunter. Er versuchte vergeblich, seinen Kopf ihrem Griff zu entwinden. Wieder hielt sie ihm den Käfer vors Gesicht. »Guten Appetit«, wieherte sie, »es kitzelt beim Schlukken!« Damit schob sie ihm den Käfer in den Mund und drückte den Unterkiefer zu.

Luis würgte im Schlaf. »Das wirst du mir büßen, Hermalinda. Ich werde es dir heimzahlen«, schrie er und fuhr im Bett hoch, er stand kurz vor dem Erbrechen von diesem Alptraum. Er atmete heftig und schloß die Augen vor Erleichterung, daß alles nur ein Traum gewesen war.

Ich kann diese Frau nicht um mich ertragen. Sie hat mich als Kind so gequält, sie wird mich auch als Erwachsene terrorisieren. Das mit dem Käfer war das schlimmste Erlebnis, aber es gab noch viele andere, erinnerte sich Luis. Einmal hat sie mich außerhalb von Granada in einer Höhle eingeschlossen. Sie schwor, sie hätte mich an die Zigeuner verkauft, die mich holen und in ihrem Zigeunerwagen mitnehmen würden. Wenn ich ihr mein Messer mit dem Porzellangriff geben würde, dann könnte sie mich von ihnen freikaufen. Sie hat mir viele meiner besten Sachen weggenommen – die ledernen Satteltaschen, die mir mein Vater zum zwölften Geburtstag gemacht hatte, das silberne Zaumzeug meines Pferdes, meinen Lamahut mit den Troddeln. Malinda hat immer Schwächere tyrannisiert und bestohlen, aber am schlimmsten war, daß sie das auch noch genossen hat. Andere zu quälen machte ihr immer am meisten Spaß.

Nein, schloß der Alcalde, es genügt nicht, sie Mendoza auf den Hals zu hetzen. Wenn sie Gefallen an ihm findet, bleibt sie womöglich für immer hier! Er stöhnte auf vor Qual bei dem Gedanken. Ich muß sie aus Los Angeles hinausekeln. Ich muß sie so drangsalieren, wie sie mich drangsaliert hat, daß sie niemals wiederkommt.

Er goß sich etwas Wasser aus dem Krug auf seinem Waschtisch in die Waschschüssel und kühlte sein Gesicht darin. Er blickte grimmig entschlossen wie ein Wolf, der sich an eine Beute heranschleicht. Ich werde ihr alles heimzahlen, was sie mir in der Kindheit angetan hat!

Er tupfte sein Gesicht mit einem bestickten Leinenhandtuch trocken und ging barfuß im Zimmer auf und ab. Plan auf Plan verwarf er, weil er bei jedem persönlich mit ihr zu tun gehabt hätte. Er überlegte, ob er sie schon in San Diego mit einem gefälschten Brief über den Tod ihres Bruders oder Vaters abfangen sollte. Dann müßte sie sofort wieder aufs Schiff und zurück nach Spanien. Unglücklicherweise mochte er jedoch seinen Onkel und seinen Vetter sehr. Wenn sie herausfinden würden, daß er sie für tot erklärt hätte, um Malinda hinters Licht zu führen, dann wäre er für die ganze Familie das Schwarze Schaf.

Oder vielleicht sollte er Mendozas ehemalige Kammer mit Kakerlaken, Klapperschlangen und Skorpionen füllen und Malinda dort einschließen? Aber das frühere Schlafzimmer des Sergeant lag direkt neben seinem eigenen, und die Viecher könnten vielleicht unter der Tür durchkriechen! Allein der Gedanke an solche nächtlichen Besucher jagte ihm kalte Schauer den Rükken hinunter.

Er könnte auch ein kleines Fest geben am Abend ihrer Ankunft. Sie wäre zwar etwas müde, aber sicher geschmeichelt, daß er sie gleich seinen Freunden vorstellte. Er würde ihr einen kleinen Schlaftrunk anbieten, den sie sicher dankbar annähme, von dem sie aber nie wieder erwachen würde. Doch ihm wurde klar, daß er jemand aus seinem eigenen Blut nicht mit eigener Hand ermorden konnte.

Am Ende entschied er sich für einen Plan, für den er die Dienste eines Räubers mit Namen Lopez in Anspruch nehmen müßte. Zuversichtlich, daß dieser Plan funktionieren würde, ging er wieder zu Bett. Ja, morgen werde ich mit Lopez darüber sprechen. Es ist ein fairer Handel. Für ihn ist ein Handel ein Handel, wenn er gut bezahlt wird, macht er alles. Er wird die schmutzige Arbeit für mich erledigen. Es gibt keinen Gerisseneren, und ich werde Hermalinda für immer los sein.
Erschöpfung überkam Ramon, und tiefer Schlaf hüllte ihn ein wie dichter Frühsommernebel den Hafen von San Pedro.

Auf Jorges Hacienda waren nur noch ein paar der engsten Freunde und Familienmitglieder am Feiern. Die Kapelle spielte einen langsamen Walzer. Don Alejandro nahm die Gelegenheit wahr, Gabriella um einen Tanz zu bitten.
»Padrino«, sagte sie ehrerbietig zu Alejandro, »das Pferd, das du uns geschenkt hast, ist wunderschön und gehorcht auf's Wort. Muchas gracias.«
»Wie es sein sollte, Gabriella. Eine herrliche Stute für eine wundervolle Frau«, antwortete Don Alejandro.
»Jorge und ich sind dir für so vieles zu großem Dank verpflichtet ...« begann sie. Ehe sie ihren Satz zu Ende bringen konnte, stürzte Felipe herzu und gestikulierte wild mit den Armen.
»Der Bär und der Stier sind aus ihrem Pferch ausgebrochen?« übersetzte Alejandro ungläubig. »Schnell! Hol die Männer zusammen. Wir müssen die Tiere einfangen. Sie könnten den Bewohnern gefährlich werden.«
Plötzlich lief im Salon alles durcheinander. Caballeros schoben ihre halb leergegessenen Teller weg. Hastig wurden Hüte und Mäntel angelegt. Stiefel polterten unter dem prächtigen, holzgeschnitzten Bogen der Eingangstür hindurch. Festlich gekleidete Señoritas standen verlassen auf der Veranda unter Girlan-

den aus Fuchsien und Bougainvilleas, während ihre feurigen Verehrer auf die Pferde kletterten.
Lautes Hufgetrappel hallte von der Hacienda ins Land hinaus. In zwei Gruppen machten sich die Männer auf die Suche, die kleinere folgte der Spur des Stieres, während die größere die Verfolgung des Grizzlybären aufnahm. Felipe trennte sich von der Gruppe, um Zorro zu holen. Man würde seine Hilfe brauchen.
Kurze Zeit vorher hatte Victoria das Fest verlassen, um allein nach Hause zu reiten, obwohl Francisco Ortega das nicht zulassen wollte. Der Sohn der wohlhabenden Ortega-Familie aus Refugio umwarb Victoria heftig. Sie ging jedoch nicht darauf ein, sie war höflich, aber unnachgiebig und bat ihn, seine Zuneigung besser einem der jungen Mädchen im Pueblo zu schenken, die noch zu haben waren. Ihr Herz war nicht mehr frei, es gehörte – Zorro.
Leider ließ Francisco sich nicht abweisen. Als Victoria an diesem Abend in heiterer Stimmung und leise vor sich hin summend losritt, folgte er ihr. Er hielt Abstand, bis sie sich einem dichten Gehölz näherte. Dann spornte er sein Pferd an und preschte vor. Victorias Pferd scheute, und Francisco griff ihm in die Zügel, um es zu beruhigen.
»Es ist gefährlich für eine Frau, nachts allein nach Hause zu reiten«, sagte Francisco.
Wütend riß ihm Victoria die Zügel aus der Hand. »Ich werde allein mit ihm fertig«, fauchte sie. »Ich bin auf dem Rücken eines Pferdes genauso gut wie ein Mann, merken Sie sich das, Francisco. Lassen Sie mich bitte in Ruhe!«

Auf einem kleinen Hügel oberhalb des Gehölzes hatte Zorro haltgemacht und sah zu den Sternen hinauf. Es war eine herrliche Nacht. Seine Muskeln schmerzten von der harten körperlichen Arbeit, doch er war zufrieden und freute sich, daß sie den Vorratsschuppen der Sanchez so schnell wieder aufgebaut

hatten. Er atmete die frische Abendluft tief ein. Victoria, dachte er, wenn du jetzt auch in den Himmel siehst, sollst du wissen, daß meine Liebe zu dir genauso funkelt wie die Sterne da oben. Eines Tages werden wir für immer zusammen bleiben …
Tornado wieherte erregt, er hatte den Wortwechsel hinter den Bäumen gehört. Zorro sprang in den Sattel und galoppierte den Hang hinunter.
Victoria galoppierte auf ihrem Pferd gerade aus dem Gehölz heraus, als Tornado auf der anderen Seite hineinritt. Francisco lachte laut auf. »Ich liebe feurige Frauen«, rief er und jagte ihr hinterher.
Tornado lief mit Jorges Pferd gleichauf. »Warum so eilig, Amigo?« fragte Zorro und faßte ihm in die Zügel.
Franciscos Augen füllten sich mit Wut. »Du bist es!« Er zog seine Pistole.
Flinker als er mit dem Degen sein berühmtes »Z« hieb, schlug Zorro Francisco die Waffe aus der Hand. »Verzeihen Sie, Señor«, entschuldigte sich Zorro, »aber Sie wissen mehr als ich. Wen genau meinen Sie?«
»Den, der mir Victorias Liebe streitig macht!« schrie Francisco laut und griff nach Zorros Hals.
Zorro preßte leicht sein rechtes Knie in Tornados Flanke, der sofort reagierte und nach links auswich. Im gleichen Augenblick ließ er beide Fäuste auf Franciscos ausgestreckten Arm herunterfallen, so daß dieser aus dem Sattel stürzte. Tornado folgte Victoria und ließ Francisco hinter sich Staub und Stolz hinunterschlucken.
Victoria galoppierte auf den Pueblo zu, ihr schwarzes Haar flatterte im Wind. Sie sah zu den blinkenden Sternen hoch, ehe sie über ihre Schulter zurückblickte. Sie erwartete, daß Francisco ihr folgte.
Die Sterne sind meine Zeugen, ich werde auf Zorro warten, bis

er sein Versprechen erfüllt, gelobte sie sich. Wie sehr wünschte ich, er würde jetzt hinter mir her reiten!
Als würde ihr Wunsch erfüllt, sah sie beim Umwenden Zorro auf sich zufliegen. Den Heiligen sei Dank! rief sie im stillen aus. Ihr Herz klopfte noch lauter als die Hufe ihres Pferdes. Sie brachte ihre schnaubende Stute zum Halten. »Zorro!« rief sie außer Atem.
Er stoppte dicht neben ihr und legte ihr zärtlich die Hand auf die Wange. »Alles in Ordnung?« fragte er.
Sie legte ihre Hand auf seine. »Ja, es ist gut, danke, daß Sie gekommen sind.«
»Was gibt es Schöneres für einen Verliebten, als die Dame seines Herzens vor Verdruß zu bewahren?« neckte er sie zärtlich.
Über die Anhöhe vor ihnen näherten sich Hufschläge. »Aus dieser Richtung kann Francisco nicht kommen«, bemerkte Victoria mit erstauntem Gesicht.
Erleichterung zeigte es, als sie Felipe erkannte, der auf Diegos heller Stute Esperanza herangaloppierte. Er bedeutete Zorro mit Gesten, daß der Stier und der Bär ausgerissen waren. Er gehörte zum Suchtrupp, der die Bewohner warnte.
»Felipe«, Zorro machte ungeschickt Zeichen, damit Victoria nicht draufkam, wer er tatsächlich war. »Begleite Señorita Escalante nach Hause und nimm dann die Suche wieder auf. Ich hole mir inzwischen den richtigen Mann zu Hilfe. Er ist wütend, mutig und entschlossen; alles, was man braucht, um mit einem Grizzlybären fertig zu werden.«
Felipe nickte zum Zeichen, daß er alles verstanden hatte. Zorro nahm Victorias Hand und küßte sie sanft. »Buenas noches, Señorita. Ich hoffe, immer so rechtzeitig zur Stelle sein und immer so eine klar umrissene Aufgabe vorzufinden.«
Er wandte sich rasch weg und ritt zu dem Gehölz zurück, als er ein schreckliches Brüllen hörte. Er sah Franciscos Pferd auf den Hinterbeinen hochgehen. Es hatte sich so ruckartig aufge-

bäumt, daß Francisco abgeworfen wurde. Zorro sprang sofort vom Pferd und trat an seine Seite mit der eingerollten Peitsche in der Hand. Plötzlich stand der Grizzlybär mit entblößten Zähnen laut knurrend direkt vor den beiden Männern. Er richtete sich fast drei Meter hoch auf und zeigte seine ausgefahrenen Krallen. Francisco taumelte rückwärts und starrte entgeistert die fürchterliche Erscheinung an.

»Erinnern Sie sich, Francisco, was für eine Wut Sie gerade noch auf mich hatten?« flüsterte Zorro. »Der Bär hat eine noch größere auf uns.« Er ließ seine Peitsche vor den Füßen des Bären knallen, um ihn vom Vorwärtsgehen abzuhalten. Der Grizzly schlug mit der Pfote in die Luft und versuchte, die Peitschenschnur zu fangen.

»Jetzt braucht jeder den anderen«, sagte Zorro ruhig. Francisco nickte. »Gehen Sie langsam zu Ihrem Pferd, ohne sich umzudrehen. Nehmen Sie Ihr Lasso, ich habe gehört, Sie können sehr gut damit umgehen. Versuchen Sie, es dem Bären um den Kopf zu legen, ich werde seine beiden Vorderpfoten mit meiner Peitsche fesseln. Dann bringen wir ihn gemeinsam zurück in die Berge. Jorges Hochzeitsfest wird eben auf den Kampf zwischen Stier und Bär verzichten müssen. Einverstanden?«

Francisco nickte noch einmal. Er ging rückwärts, ohne die Augen von dem erregten Bären abzuwenden und murmelte besänftigende Worte, um sein Pferd zu beruhigen. Zorro knallte wiederholt mit der Peitsche in die Luft, um den Bären abzulenken, während Francisco auf sein Pferd stieg. Er legte sich das Lasso zurecht. Der Bär ließ sich auf alle viere hinunter und ging auf Zorro los. Francisco schleuderte das lederne Seil. Die Schlinge legte sich um den Kopf des Bären, es war keinen Augenblick zu früh. Sofort wickelte Francisco das Seilende fest um seinen Sattelknauf. Mit einem mächtigen Satz sprang Zorro von hinten in den Sattel auf Tornados Rücken, da richtete sich der Bär erneut hoch auf. Aufgebracht schlug er mit den Klauen gegen das Seil an seinem Hals. Zorro holte noch einmal mit der Peitsche aus, die Peitschenschnur umschlang die Vorderpfoten des Tieres und zog sie gegen dessen Brust. Tornado umkreiste den Bären langsam, so daß sich die Schnur um dessen Oberkörper wickelte. Gefesselt von Seil und Peitsche warf der Bär erregt den Kopf hin und her. Zorro und Francisco zogen ihn in Richtung Berge, der Bär hatte keine andere Wahl, er mußte mitgehen.

»Ich verspreche dir, Meister Petz, daß wir dich freilassen. Dich erwartet ein glücklicheres Schicksal als das im Ring mit dem Stier«, versicherte ihm Zorro. »Und was Sie betrifft, Señor Ortega, ich danke Ihnen für die geleistete Hilfe. Wenn Sie den Bären verfehlt hätten, dann wären Sie jetzt Victorias einziger Verehrer!«

»Keine Ursache, Señor Zorro«, antwortete Francisco und tippte hochmütig an seinen Hut.

Geschichtliche Entdeckungen

Diego ritt am nächsten Morgen in die Stadt. Felipe hatte ihm zwar versichert, daß Victoria gut nach Hause gekommen war, doch er wollte sich selbst überzeugen. Er lenkte Esperanza um einen Verkaufsstand herum, auf dem Fleisch und Erzeugnisse aus einheimischem Anbau angeboten wurden. Mendoza stand müde und bleich daneben, und Diego fand, daß ihn sein neues Leben als »Landadeliger« überanstrengt und kränklich aussehen ließ.

Er band sein Pferd am Pfosten vor der Taverne fest und trat neben Mendoza an den Fleischerstand. Ungerupfte Hühnchen hingen am Dachgestell, darunter lag ein Schweinskopf, Hasen und Truthähne. Mendoza prüfte eingehend ein paar Hähnchen.

»Was ist los, mein Freund?« fragte Diego. »Sie sehen aus, als ob

Sie letzte Nacht kein Auge zugetan hätten. Hat Sie die Nachricht vom Ausbruch des Stiers und des Bären aus Jorges Gehege nicht schlafen lassen?«
»Nein, Don Diego. Ich habe erst heute morgen in der Taverne davon erfahren«, entgegnete Mendoza niedergeschlagen. »Francisco erzählte, er habe den Bären in die Berge zurückgebracht.«
»Ist das wahr?« bemerkte Diego und rieb sein Kinn. Er biß sich auf die Lippen, damit Mendoza nicht merkte, daß er lächeln mußte. »Und sicher ganz allein. Dieser Señor Ortega ist ein tapferer Mann. Wir sind ihm sehr zu Dank verpflichtet.«
»Jorge war wütend. Er wollte den Bären zurückhaben für den Kampf mit dem Stier. Er wollte Francisco zum Duell herausfordern. Victoria hat ihn davon abgebracht, sie hat ihn überzeugt, daß Gabriella nicht schon einen Tag nach der Hochzeit ihren Mann wieder verlieren möchte«, erzählte Mendoza.
»Eine kluge Frau«, lächelte Diego, »sehr geschickt, wie sie die erhitzten Gemüter der heißblütigen Männer zu kühlen versteht.«
»Nein, Don Diego, damit hat sie Franciscos übersteigerter Eitelkeit nur noch Vorschub geleistet. Er will ihr unbedingt sein Können beweisen. Sie mußte ihm versprechen, am Sonntag mit ihm auszureiten und sich seine Schießkünste mit der Pistole vorführen zu lassen«, ergänzte Mendoza.
Da wird Zorro auch zur Stelle sein, dachte Diego, in einer neuen Rolle, als Beschützer. Ich traue diesem hitzköpfigen Besucher aus dem Norden nicht, besonders wenn man aus einer so berüchtigten Schmugglerfamilie stammt wie er. Wer weiß, was er alles mit ihr anstellt.
»Wenn der Bär nicht schuld war an Ihrem mangelnden Schlaf, hatte dann die Matratze in Ihrer neuen Hacienda etwas gegen Sie?« fragte Diego.
»Die Matratze hat damit nichts zu tun!« sagte Mendoza verstört. Er sah sich um, ob jemand ihrer Unterhaltung zuhörte.

Als er niemand entdeckte, vertraute er Diego an: »Vergangene Nacht habe ich den Geist von Don Portillo gesehen!«
Diego betrachtete ihn sehr skeptisch.
»Er ... er hat mich angesprochen!« fuhr Mendoza sich verteidigend fort. »Er sagte, ich müsse die Hacienda verlassen oder sterben!« Bei den letzten Worten seines Satzes zitterte Mendoza am ganzen Körper.
»Wirklich, hat er das gesagt?« versetzte Diego. Auf seinem Gesicht standen Zweifel.
»Ja!« antwortete Mendoza äußerst erregt. »Und ich gebe heute abend eine Einladung zum Essen. Ich kann nicht mehr absagen und riskieren, daß der Alcalde beleidigt ist. Aber wie soll ich das überstehen?«
»Veranstalten Sie ruhig das Abendessen. Sie riskieren nichts, höchstens eine Magenverstimmung.« Damit wandte sich Diego zum Gehen.
»Wenn Sie meinen, Diego – also dann bis acht Uhr heute abend«, sagte Mendoza.
Diego wandte ihm noch einmal das Gesicht zu. »Oh, ich bedaure außerordentlich, Mendoza, ich kann leider nicht kommen.«
»So ...«, erwiderte Mendoza und sah Diego mißtrauisch an. »Haben Sie Angst vor dem Gespenst?«
»Natürlich nicht«, winkte Diego ab. »Aber von der Tanzerei bei Jorge und Gabriellas Hochzeit hat mein Vater wieder sein altes Rheuma bekommen. Ich muß bei ihm bleiben.« Er schenkte Mendoza ein beruhigendes Lächeln und klopfte ihm ermutigend auf die Schulter. »Mit dem Alcalde und Don Emilio als Gäste werden Sie heute abend bestens behütet sein. Und Victoria kann sehr gut auf sich selbst aufpassen! Sie haben nichts zu befürchten.«
Mendozas besorgter Blick sagte Diego, daß der ehemalige Sergeant nicht überzeugt war.

Keine Sorge, versprach Diego ihm im stillen, Zorro wird herausfinden, wer dieses Gespenst in Wirklichkeit ist.

»Corporal Gomez!« rief der Alcalde. Der kleinwüchsige Corporal stürzte vom Gefängnistrakt herein.
»Sí, mi Alcalde«, antwortete er und salutierte gehorsam.
»Bringen Sie mir den Gefangenen Lopez«, befahl Ramon.
»Sí, mi Alcalde«, wiederholte Gomez und eilte durch die Tür zwischen Büro und Gefängnis hinaus.
Luis Ramon ging hinter seinem Schreibtisch auf und ab und dachte über seinen Plan nach. Ein teuflischer Blick erschien in seinen Augen. Er rieb die Handflächen aneinander und grinste schadenfroh.
Corporal Gomez kehrte einen Augenblick später zurück und stieß Lopez vor sich her. Der dunkelhäutige, schwarzhaarige Bandit zog schniefend die Nase hoch. Seine Hände steckten in Handfesseln auf seinem Rücken. Sein Gesicht war abweisend und voll Mißtrauen.
»Der Gefangene Lopez, Señor, wie Sie befahlen«, meldete Gomez kurz.
»Das ist alles, Gomez, Sie können gehen«, sagte der Alcalde.
»Gehen?« sagte Gomez. »Aber die militärischen Vorschriften verlangen, daß ein Offizier immer als Bewachung bereitstehen muß ...«
»Wollen Sie MICH über militärische Vorschriften belehren, Corporal?« fuhr ihn der Alcalde an.
»Nein ... nein«, stotterte der Corporal und wirbelte herum, um abzutreten. »Ich werde draußen vor der Tür bleiben, Alcalde.«
»Danke, Corporal. Ich werde Sie rufen, wenn ich das Verhör beendet habe«, sagte er verächtlich. Du wichtigtuerischer Dummkopf, du bist noch schlimmer als Mendoza, dachte er.
Lopez stand verächtlich in der Mitte des Raumes und sah die Wände an. Er bemerkte eine Karte von Los Angeles und Umge-

bung hinter dem Schreibtisch des Alcalde. Kleine rote Flaggen waren an wichtigen Stellen in die Karte gesteckt.
»Ich sehe, Sie studieren meine zukünftigen Ländereien, Lopez«, bemerkte der Alcalde. »Haben Sie Interesse an Grundbesitz?«
Lopez starrte den Alcalde an, er versuchte, ihn einzuschätzen. Sarkastisch antwortete er: »Wer hätte das nicht? Es ist was anderes als Orangen oder Bohnen. Land kann man nicht anpflanzen und wachsen lassen.«
»Ein kluger Mann«, lächelte Ramon und legte den Arm um die schmuddeligen Schultern des Gefangenen. Als er den Schmutz bemerkte, ließ er Lopez los und bot ihm einen Stuhl an. Rasch klopfte er sich die Hände sauber, als hätte der Gefangene sie verunreinigt. »Ich mache dir einen Vorschlag, der nicht nur deine Gefangenschaft verkürzt, sondern dir vielleicht sogar als Belohnung ein Stück Land eintragen wird. Bist du interessiert?«
Lopez setzte sich kerzengerade, sein Ausdruck wurde gierig. »Erklären Sie das genauer.«

Diego näherte sich dem Büro des Alcalde, erstaunt fiel ihm auf, daß Gomez draußen auf der Plaza Wache hielt. »Guten Morgen, Corporal«, grüßte er ihn. »Ist es nicht ungewohnt für Sie, die Tür des Alcalde zu bewachen?«
»Buenos dias, Don Diego. Es ist gegen die Vorschriften. Der Alcalde unterhält sich mit einem Gefangenen, ohne daß ein militärischer Wachposten dabei zugegen ist. Höchst vorschriftswidrig, höchst vorschriftswidrig«, wiederholte er.
»Nun, dann werde ich später wiederkommen, um mit ihm zu reden«, gab Diego zurück.
Was hat der Alcalde nun wieder auf Lager? fragte Diego sich insgeheim, während er die Plaza in Richtung Taverne überquerte. Einige Frauen grüßten ihn, als er am Brunnen vorüberging. Eine davon war Maria.
»Wie geht es Don Mendoza?« fragte Diego sie.

Maria errötete. »Heute morgen schien er sehr nervös zu sein. Ich bin nicht sicher, ob er sich als Don wohl fühlt.«
»Er wird sich schon daran gewöhnen«, versicherte ihr Diego.
Victoria schenkte gerade einigen Männern Kaffee ein, als Diego die Taverne betrat.
Er setzte sich an einen Ecktisch, zog ein kleines ledergebundenes Notizbuch aus seiner Brusttasche und begann zu schreiben.
Bald ging Victoria zu ihm, um ihn zu begrüßen.
»Guten Morgen, Diego. Kann ich dir etwas bringen?« fragte sie. »Du siehst aus, als würdest du schwer arbeiten.«
»Oh, Victoria, vielen Dank. Ich hätte gerne einen Kaffee«, antwortete Diego. »Hast du einen Augenblick Zeit, um dich zu mir zu setzen?«
Victoria blickte in die Runde. »Es ist ruhig heute morgen. Ja, ich setz' mich gerne ein bißchen dazu.«
»Gut, ich lade dich zu einem Kaffee ein«, lachte Diego.
»Du willst mir meinen eigenen Kaffee bezahlen? Wirklich, Diego!« sagte Victoria belustigt.
»Ich brauche ein bißchen Ablenkung. Ich arbeite an der Geschichte des Pueblos. Ich bin gekommen, um in den alten Aufzeichnungen im Büro des Alcalde nachzusuchen, aber er verhört gerade einen Gefangenen. Also, sag, wie geht's dir? Felipe hat versucht, mir etwas von den Schwierigkeiten zu erzählen, die du vergangene Nacht mit Francisco hattest«, forschte er mit der Besorgnis eines großen Bruders.
»Ach, nichts von Belang. Ich werde mit dem Mann schon fertig. Er ist jung und feurig, aber ehrlich gesagt, ein bißchen eifersüchtig. Er will einfach nicht akzeptieren, daß ich zu alt für ihn bin«, lachte sie. »Er sagt, er liebt Frauen, die nicht mehr so jung sind.«
»So, so«, erwiderte Diego, »noch ein zerbrochenes Herz, das in Stücken am Weg liegenbleibt.«

»Diego!« rief sie aufgebracht aus. »Du bist immer so melodramatisch!«
»Du mußt zugeben, daß du schon einige Verehrer enttäuscht hast«, fuhr er fort und sah ihr tief in die Augen.
Victoria nippte an ihrem Kaffee. O Diego, dachte sie, du weißt, daß ich deine Freundschaft sehr schätze, aber mein Herz gehört Zorro. Keiner von uns kann etwas dafür, daß Zorro genau in dem Augenblick auftauchte, als du gerade von Madrid zurückgekehrt warst. Ich weiß, wir hatten nicht mehr die Möglichkeit, unsere Jugendliebe zu erneuern, aber wer kann erklären, welche Wege die Liebe geht?
»Ich muß wieder an die Arbeit, Diego«, sagte sie. »Danke für den Kaffee.«
»Ganz meinerseits«, antwortete er. »Übrigens, Mendoza hat mir erzählt, du willst am Sonntag mit Francisco ausreiten? Findest du das klug?«
»Diego, du benimmst dich wie ein Anstandswauwau«, lachte Victoria. »Francisco will mir seine Schießkünste vorführen. Als ob sich dadurch meine Meinung über ihn ändern würde! Ich hab ihm versprochen, am Sonntag nach dem Mittagessen, während der Siesta, mit ihm zu kommen. Ein kleiner Ausritt aufs Land bis zum Pappelgehölz am Fluß, das ist alles. Die frische Luft und die andere Umgebung werden mir guttun. So gern ich in der Taverne arbeite, manchmal fällt mir trotzdem ein bißchen die Decke auf den Kopf. Kümmere dich lieber um dein Geschichtsbuch.« Sie erhob sich.
Diego griff nach ihrer Hand. »Sei vorsichtig.«
Victoria schüttelte den Kopf. »Ich bin doch kein Kind mehr.«
Gerade deshalb finde ich dich ja so anziehend, dachte Diego. Entschuldige, daß ich dich mit meiner Neugier belästigen mußte, aber ich habe jetzt gehört, was ich erfahren wollte: am Sonntag zur Siesta-Zeit am Fluß. Es sieht so aus, als hätte Zorro dort auch gleichzeitig eine Verabredung.

Diego trank seinen Kaffee aus und ging dann über die Plaza noch einmal zum Büro des Alcalde. Gomez stand nicht mehr Wache. Er klopfte an die Tür.
»Herein«, rief Ramon.
Diego drückte die Klinke der breiten grünen Tür herunter. »Guten Tag, Alcalde«, sagte er und trat ein. »Ich wollte Sie fragen, ob Sie etwas dagegen hätten, wenn ich in der Pueblo-Chronik ein paar Dinge nachschlage. Wissen Sie, ich schreibe gerade ein Buch über die Gründungsgeschichte von Los Angeles.«
»Die Geschichte von El Nuestra Señora La Reina de Los Angeles«, sagte Ramon und erwog die Aussichten eines solchen Buches. »Was für eine gute Idee. Nein, ich wußte nichts von Ihrem Vorhaben, aber ich glaube, es wird sehr gut ankommen. Sie haben selbstverständlich meine volle Unterstützung. Ich nehme an, ich werde in dem Buch entsprechend gewürdigt. Wenn Sie einige Kapitel über meine eigene Geschichte darin bringen wollen, meine Pläne mit unserer Stadt ...« Da habe ich auf eine Goldmine getippt, dachte Diego. Luis Ramons Einbildung kennt keine Grenzen. Er kann seinen Größenwahn nicht verbergen, er täte alles, um sich einen Platz in der Geschichte zu sichern. Ich werde seine Eitelkeit für meine Zwecke zu nutzen wissen.
»Ich danke Ihnen, Alcalde. Das kann von großer Wichtigkeit sein. Doch zunächst muß ich den ersten Teil fertigstellen. Vielleicht können wir uns später zusammensetzen, und Sie erzählen mir Ihre Geschichte«, erklärte Diego.
»Ich verstehe, natürlich«, strahlte Ramon. »Was brauchen Sie, um weiterzukommen?«
»Einen ganz bestimmten Band der Stadtchronik«, antwortete Diego.
»Jederzeit, Don Diego, hier stehen alle, bitteschön«, sagte Ramon und führte Diego zum Bücherschrank an der Wand gegenüber der Eingangstür zum Gefängnis. »Suchen Sie sich den Band heraus.«

»Mit Ihrer Erlaubnis würde ich ihn gerne zur Hacienda mitnehmen«, erklärte Diego.
»Alles, was Sie wollen, Don Diego«, versicherte ihm der Alcalde und kehrte an seinen Schreibtisch zurück. Ich werde unsterblich, Diego schreibt über mich. Hervorragend! Endlich unternimmt dieser verweichlichte Nichtstuer mal etwas Nützliches.
Diego suchte im Regal, bis er fand, was er brauchte. Er klemmte sich das dicke, verstaubte Buch unter den Arm und verabschiedete sich vom Alcalde.

Als Diego an jenem Abend den mitgenommenen Band durchsah, entdeckte er einige interessante Tatsachen.
»Eigenartig«, sagte er zu Felipe, »Torres, Mendozas Diener, behauptete, Don Portillos Onkel hätte einen schrecklichen Tod gehabt, er hätte sich an einem Kronleuchter erhängt, und seitdem spukte sein Geist in der Hacienda. Aber hier«, und er zeigte Felipe eine Eintragung in dem offiziellen Bericht, »steht, daß er im Alter von neunzig Jahren friedlich in seinem Haus verschied.«
Diego schloß das Buch. Felipe nahm es ihm ab und öffnete es wieder, um die Stelle selbst nachzulesen.
»Warum will Torres Mendoza mit so einer Gruselgeschichte erschrecken?« überlegte Diego.
Felipe schüttelte den Kopf, die Frage verwirrte ihn.
»Und wen hat Mendoza letzte Nacht tatsächlich gesehen?« fuhr Diego fort. »Ich werde herausfinden, ob das Gespenst einem genaueren Blick standhält. Aber gesehen hat Mendoza etwas. Vielleicht ist es am besten, wenn Zorro selbst dem Geist direkt gegenübertritt.«
Felipes Gesicht hellte sich erwartungsvoll auf.

Ungeladene Gäste

Am Spätnachmittag eilte Mendoza geschäftig in seiner Hacienda hin und her, schüttelte Kissen auf, staubte schon abgestaubte Simse erneut ab, rückte die Vorhänge zurecht, so daß die Falten schön senkrecht fielen, und störte dauernd Torres in der Küche. Er roch in alle Töpfe hinein, nippte an allen Soßen und kostete jedes Stück Fleisch.
»Hier noch etwas mehr Knoblauch, Torres«, sagte er, als er die Soße für das gebratene Spanferkel gekostet hatte. »Und mehr Jalapenos. Ich will, daß meine Gäste Feuer in ihren Kehlen spüren, wenn sie von dieser Soße kosten.«
»Ich mach das schon, Señor. Vielleicht möchten Sie noch einmal den gedeckten Tisch überprüfen«, schlug Torres vor, um Mendoza aus dem Weg zu haben.
»Eine gute Idee«, stimmte der Herr der Hacienda zu. Mendoza stolzierte ins Eßzimmer, wo ein langer Tisch vorbereitet war. Ein besticktes Tischtuch aus Leinen bedeckte die hölzerne Platte. Frische Blumen standen an jedem Tischende in einer Vase. Es sah aus wie die Fortsetzung des Hochzeitsfestes. Tatsächlich hatte Victoria Mendoza das Tischtuch samt Tisch geliehen, und die Blumen waren noch von der Hochzeit übrig. Er hatte nur noch einige Rosen aus dem Garten der Hacienda in die Mitte gestellt. Der Anblick befriedigte ihn außerordentlich.
Mendoza spazierte um den Tisch herum, die Daumen lässig im Gürtel verhakt. Er beroch die Korken der Rotweinflaschen, die bereits geöffnet worden waren, um den Wein atmen zu lassen. Er korrigierte die Lage der Gabeln neben den Servietten, er genoß seine neue Aufgabe als Hausherr.
Nichts wird diesen Abend verderben können, redete er sich ein, wenn nur dieses Gespenst nicht wäre. Es wird nicht wagen, hier aufzutauchen, wenn ich Gäste habe. Mißtrauisch sah er sich im Raum um. Oder doch?

Wohlig ließ Mendoza sich in die gefüllte Badewanne gleiten. »Aaah ...« rief er aus, »so lebt ein Gentleman! Daran kann man sich gewöhnen! Noch mehr heißes Wasser, Torres!«
Der Diener goß einen Eimer voll dampfend heißem Wasser in die Wanne. »Rufen Sie mich, wenn Sie bereit zum Ankleiden sind, Señor«, sagte Torres höflich. »Ich muß in der Küche nach dem rechten sehen.«
»Es wird ein wundervoller Abend, nicht wahr, Torres?« fragte Mendoza.
Torres sah sich prüfend um und blickte dann geheimnisvoll zur Decke. »Vorausgesetzt, es kommen nur geladene Gäste ...«
Mendoza sank tiefer in die Wanne und warf einen ängstlichen Blick zu den hohen Fenstern hinauf.

Der Alcalde stand vor seinem mannshohen Spiegel und rückte kritisch seine Krawatte zurecht. Unzufrieden zog er mit den Zähnen die Handschuhe von den Fingern und versuchte es noch einmal. »Na also, genau symmetrisch«, sagte er zufrieden zu sich selbst, dann schüttelte er den Kopf und betrachtete sein Spiegelbild von oben bis unten. Warum gebe ich mir solche Mühe? Es ist doch nur für Mendoza. Bloß weil der Mann sich jetzt Don nennt, heißt das noch lange nicht, daß er kein schlampiger Hanswurst mehr ist. Ramon hielt kurz inne, doch dann sagte er sich selbst, daß er nur soviel Aufhebens mache, um jedermann zu beweisen, daß Mendoza ihm nie ebenbürtig sein würde, so sehr er sich auch anstrengte.
»Gomez«, rief der Alcalde, »ist mein Pferd gesattelt?«
Eine Stimme drang von draußen herein. »Sí, mi Alcalde. Es steht bereit.«
Der Alcalde machte einen kleinen Umweg durch das Gefängnis, ehe er hinaus auf die Plaza ging, um sein Pferd zu besteigen. Mit mehreren Soldaten als Geleit, darunter auch Corporal Gomez, ritt er los.

Inzwischen erinnerte Victoria Maria daran, wo zusätzliche Teller aufbewahrt wurden und gab ihr noch ein paar letzte Anweisungen hinsichtlich der Kasse. »Seien Sie unbesorgt, Señorita, es ist nicht das erste Mal, daß ich hier für Sie einspringe. Gehen Sie ruhig und amüsieren Sie sich.«

»Danke, Maria«, entgegnete Victoria. »Es ist nur, weil mir diese Taverne so am Herzen liegt. Es ist, als würde ich einen geliebten Menschen verlassen.«

»Sie haben eine Abwechslung verdient. Der Himmel weiß, was Sie hier leisten, Sie arbeiten ja für fünf«, sagte Maria.

»Weil ich die Arbeit gerne tue«, lächelte Victoria und sah sich im gut gefüllten Gastraum um. Sie freute sich über den Zulauf der Gäste. Selbst während der Abendessenszeit, wenn es rund ging, wurden alle schnell bedient, es war warm und sauber hier und das Wichtigste – die Leute waren laut und lustig, sie fühlten sich wohl. Den Hunger der Gäste zu stillen war einfach, aber ihnen auch Gemütlichkeit zu bieten, so daß sie angeregt plauderten und lachten, war der Beweis, daß sie eine gute Wirtin war.

Torres trug das gebratene Ferkel zur Festtafel und setzte es in die Mitte. Mendoza polierte einen roten Apfel an seinem Jackenaufschlag und steckte ihn dann triumphierend dem Spanferkel ins Maul.

»Wundervoll, Torres«, strahlte er. »Wir sind bereit.« In diesem Augenblick ertönten Hufschläge auf der Zufahrt zur Hacienda. »Und meine Gäste sind auch schon da.«

Mendoza folgte Torres zur Vordertür. Der Alcalde stieg ab und händigte Corporal Gomez seine Zügel aus. Der Corporal wiederum übergab diese einem der Soldaten und befahl ihm, sich um die Pferde zu kümmern. Gomez folgte Mendoza und dem Alcalde durch die Eingangstür hinein. Mendoza starrte ihn an, weil er einfach eindrang. Gomez blieb stehen und postierte sich

innerhalb des Hacienda-Eingangs als Wache. Mendoza nickte zustimmend, während er Luis Ramon begrüßte.
»Es ist eine große Ehre, Sie in meinem Haus zu sehen, Alcalde«, sagte Mendoza. Der Alcalde nickte herablassend und streifte seine Handschuhe ab, während er Mendoza folgte. Neugierig musterte er die Räume.
»Nun, Mendoza, da haben Sie ja genügend zu tun«, bemerkte er und fuhr mit dem Finger über die Rüstung an der Tür zum Eßzimmer.
»Ja, Alcalde«, antwortete Mendoza.
»Die Hand einer Frau wäre hier nicht von Nachteil«, meinte Ramon.
»Daran habe ich selbst schon gedacht. Ich hoffe, ich kann Ihre Kusine Hermalinda um Rat fragen, wenn sie kommt, und Maria ist natürlich auch gerne bereit, mir zu helfen«, sagte Mendoza.
»Sie verschwenden keine Zeit bei der Auswahl der Damen, nicht wahr, Mendoza?« sagte der Alcalde lächelnd. »Ehe wir uns recht umsehen, wimmelt es auf Ihrer Hacienda von schreienden Buben und Mädchen.«
Mendoza wurde rot bis über die Ohren. Erneuter Hufschlag rettete ihn davor, hierauf antworten zu müssen.
Torres öffnete und ließ Don Emilio eintreten. Da ritt auch Victoria heran, stieg ab und trat mit Don Emilio zusammen ins Haus.
Mendoza schüttelte Don Emilio die Hand, Victoria begrüßte er galant mit Handkuß. »Ihr Besuch verschönert mein Heim wie ein glitzernder Edelstein, Señorita.«
»Oh, vielen Dank, Don Jaime«, lächelte Victoria überrascht und flüsterte ihm ins Ohr: »Sie sind ein charmanter Gastgeber.«
Stolz reichte er ihr den Arm und führte sie an die Festtafel.
»Danke, Señorita. Es war ein langer Weg vom verwaisten Sergeant zum Besitzer einer Hacienda.«

Der Tisch bog sich fast unter dem Gewicht der üppigen Festmahlzeit, die darauf verteilt war. Würste, gebratene Wachteln, das Spanferkel, Platten voll Obst und eine große verzierte Torte verdeckten das leinene Tischtuch.
Mendoza zog einen Stuhl hervor, damit Victoria sich setzen konnte. »Alcalde, wenn Sie so nett wären, sich an dieses Ende des Tisches zu setzen, und Don Emilio hier bitte, Victoria gegenüber.« Mit würdigem Gesichtsausdruck ging er zu seinem Platz am Kopfende der Tafel. Ehe er sich setzte, erhob er sein Glas.
»Lassen Sie mich einen Trinkspruch ausbringen, verehrte Gäste«, verkündete Mendoza. »Auf den ersten festlichen Abend in meinem neuen Heim, mögen noch viele solcher gemeinsamen Festessen folgen. Ich danke Ihnen für Ihr Kommen.« Alle nippten an ihren Gläsern und tranken ihm zu. »Torres, bitte fangen Sie an, unsere Gäste zu bedienen.«
Mendoza steckte sich die Serviette unters Kinn. Er packte mit einer Hand die Gabel, mit der anderen das Messer und hielt beides aufrechtstehend auf dem Tisch bereit. Während er wartete, daß Torres ihm vorlegte, leckte er sich in Vorfreude die Lippen. Sobald er das Silberbesteck in den Fäusten hatte, war Mendozas gutes Benehmen wie weggewischt, so gierig war er, sich den Bauch vollzuschlagen. Zu Ramons Kummer und Victorias Belustigung kam schlagartig der ungehobelte Sergeant wieder zum Vorschein. Mendoza fing Victorias Blick auf. Wortlos zeigte sie ihm, wie man die Serviette auf den Schoß legt. Er sah hinüber zu Luis Ramon und Don Emilio, die es ebenso gemacht hatten. Mit etwas dümmlichem Gesichtsausdruck legte er so unauffällig wie möglich sein Besteck wieder hin, zog die Serviette aus dem Kragen und breitete sie auf seinem Schoß aus. Dann faltete er die Hände darüber und lehnte sich im Stuhl zurück, um auf Torres zu warten.

Während Mendoza seine Gäste unterhielt, machte Felipe Zorros Hengst Tornado zum Ausreiten fertig.
Diego setzte den Hut über die Maske, und fertig war seine Verwandlung in Zorro.
»Mal sehen, was ich über das Gespenst in Don Portillos Hacienda heute nacht herausfinden kann, Felipe«, sagte er. »Wenn ich ein Geist wäre, würde ich auch mit Vergnügen das festliche Abendessen meines neuen Hausbewohners durcheinanderbringen.«
Felipe hielt Tornados Zügel, als Zorro aufsaß. »Du brauchst nicht aufzubleiben. Ich werde dir morgen alles genau erzählen. Adios, amigo«, rief Zorro und preschte in die stille Nacht hinaus.

Mendoza ergötzte seine Gäste mit Einzelheiten aus seinem neuen Leben als Don. »Ich habe bereits gelernt, in einem Federbett zu schlafen. Eine angenehme Sache für meine alten Knochen, die an harten Boden oder Strohsäcke gewöhnt waren. Ich muß jedoch zugeben, daß ich entsetzliche Niesanfälle bekomme, wenn ich ins Bett krieche. Das einzige, was dagegen hilft, ist die Fenster weit offen zu lassen. Ich hoffe, ich werde mir nicht mit einer Lungenentzündung den Tod holen!«
»Ein stattlicher Mann wie Sie, Don Jaime?« bemerkte Don Emilio. »Niemals! Sie sind doch ein Muster an Gesundheit. Die vielen Jahre beim Militär haben Sie äußerst widerstandsfähig gemacht.«

Zorro ritt zu Mendozas Hacienda. Er kam an den Teergruben vorbei, wo er die vorgeschichtlichen Knochen gefunden hatte. Ich würde gerne noch mehr solcher Fossilien ausgraben, dachte er, während er dem sanft geschwungenen Bogen des Abhanges folgte. Als er sich der Hacienda näherte, bemerkte er die Soldaten, die sich vor dem Haus unterhielten. Er lenkte Tornado ge-

räuschlos um das Stallgebäude, um ihre Aufmerksamkeit nicht zu erregen.
Die Hacienda war traditionell im rechten Winkel mit einem Innenhof angelegt, umgeben von den Wohngebäuden. Von der Empfangsdiele ging links das Eßzimmer ab, danach kam die Küche. Rechts vom Eßzimmer lagen die Schlafräume. Zorro kletterte behende am starken Geäst der Bougainvillea auf das Dach über Mendozas Schlafzimmer und kauerte sich flach nieder, so daß er die ganze Abendgesellschaft überblicken konnte. Er lachte still in sich hinein, als er Don Emilios Kompliment über Mendozas widerstandskräftige Gesundheit belauschte. Ja, Mendoza hält was aus, dachte er, was das Essen angeht, aber das ist auch schon alles. Der anstrengendste Teil seines täglichen Dienstes als Sergeant hatte darin bestanden, drei gehäufte Teller von Victorias köstlichen Tamales hinunterzuschlingen!
Zorro verharrte still, niemand bemerkte ihn, er wartete auf etwas ... irgend etwas. Er wußte nicht, was und ob etwas passieren würde.

Mendoza streckte die Brust heraus und strahlte über Don Emilios Lob. Seine Wangen waren vom Wein gerötet. »Schenken Sie meinen Gästen Wein nach«, befahl er Torres. Der mürrische Diener füllte die Gläser.
»Sonst noch etwas, Señor?« fragte Torres.
»Das ist im Moment alles, Torres«, entgegnete Mendoza großzügig wie ein Herrscher. Sein Diener verbeugte sich und ging.
Mendoza sah über den Tisch zum anderen Ende. »Möchten Sie nicht noch eines dieser winzigen Hühnchen, Señor Alcalde?« fragte er. »Es ist zwar nicht viel dran, aber sie schmecken lecker.«
Der Alcalde verbarg seine Verachtung für Mendoza. Er lächelte freundlich. »Diese winzigen Hühnchen sind zufällig Wachteln«, bemerkte er und dachte: Dieser Dummkopf wird es nie begreifen!

»Ich hab schon gedacht, für Hühnchen sehen sie bedauernswert klein aus«, antwortete Mendoza verwirrt und zuckte mit den Schultern zu Victoria hin. Sie lächelte ihm ermutigend zu.
Don Emilio, ein Caballero mit tadellosen Manieren, kam ihm zu Hilfe: »Nun, jedenfalls, mein Kompliment, Señor Mendoza. Sie schmecken wirklich köstlich.«
Aber Mendoza benahm sich noch einmal daneben und spießte einen der winzigen Vögel mit dem Messer auf. Victoria sah ihn leicht tadelnd von der Seite an. Der Alcalde konnte seinen angewiderten Ausruck gegenüber den Kasernenmanieren seines ehemaligen Sergeant nun doch nicht verbergen. Wieder reagierte Mendoza wie ein Kind, das beim Erdbeerstibitzen von der Nachtischplatte erwischt wird. Mit einem tiefen Seufzer legte er sein Messer hin und nahm geziert die Gabel in die Hand.
Er trennte einen kleinen Bissen von der Wachtel herunter. »Ich nehme an«, sagte er kleinlaut, »daß ich mich noch an vieles in meiner neuen Position gewöhnen muß.«
Nach einem Augenblick peinlichen Schweigens sagte der Alcalde: »Da Sie nun auch Grundbesitzer sind, Mendoza, hoffe ich, daß Sie diejenigen von uns unterstützen werden, die sich dem Unheil, das Zorro anrichtet, widersetzen.«
»Natürlich, Señor Alcalde«, tönte Mendoza, eifrig darauf bedacht, den Respekt seiner vornehmen Gäste wiederzugewinnen.
»Gut«, antwortete Ramon. »Dann hat Zorro einen Caballero mehr zum Feind.«
»Zorro müssen ja die Knie schlottern bei dem Gedanken«, lachte Victoria.
Plötzlich fuhr ein ächzender Windstoß durch das Eßzimmer und stieß die Doppeltür, die zum Innenhof hinausführte, auf. Alle schnappten nach Luft und blickten zur Tür. Eine Erscheinung hob sich gegen die Dunkelheit ab: Auf einem gespenstisch weißen Pferd saß eine geheimnisvolle Gestalt, die Helm und Brustpanzer von Don Portillos Onkel trug. Der Geist zeigte mit

dem Degen auf den entsetzten Mendoza und flüsterte heiser: »Verlasse die Hacienda – oder stirb!«
Die Farbe wich aus Mendozas Gesicht, sein Atem wurde flach. Erstarrt saß er in seinem Stuhl. Auch Victoria war bleich geworden. Sie umklammerte ihre Armlehnen so heftig, daß ihre Fingerknöchel weiß schimmerten. Stocksteif saß sie da und wagte keinen Muskel zu bewegen. Die Augen des Alcalde schielten argwöhnisch nach der Erscheinung. Er legte die Hände flach auf den Tisch. Langsam bewegten sich seine Finger auf sein Messer zu. Don Emilios Blick schweifte hastig über alle Gäste, die um den Tisch saßen.
Draußen auf dem Innenhof rief eine Stimme: »Wenn jemand verschwinden muß, dann du, mein gespenstischer Freund!«
Zorro trat auf. Leicht und flink sprang er vom Dach herab und zog den Degen, um den Geist anzugreifen. Victoria seufzte tief und erleichtert auf. Sie schob den Stuhl vom Tisch zurück und rettete sich ins Dunkel.
Der Alcalde reagierte sofort. Das Gespenst war ihm nicht wichtig, er befahl Gomez: »Rufen Sie die Soldaten! Zorro ist kein Gespenst – aber wenn ich ihn fasse, wird er es bald sein!«
Der Alcalde und Gomez zogen beide den Degen. In dem Augenblick, als Zorro sich ihnen zuwandte, richtete sich das Pferd des Gespensts auf den Hinterbeinen auf, und der Geisterreiter preschte davon. Mendoza lief zu Victoria und legte ihr beschützend den Arm um. Er zitterte wie Espenlaub. Don Emilio schoß aus seinem Stuhl hoch und preßte sich mit dem Rücken an die Wand. »Wie schade, daß unser geheimnisvoller Besucher nicht hierbleiben wollte, um uns zu unterhalten. Nun werde ich es selbst übernehmen müssen, Sie vom Tischgeplauder des Alcalde zu erlösen!« lachte Zorro.
Aufgebracht griffen der Alcalde und Corporal Gomez an. Mit einem Satz stand Zorro auf der Festtafel und parierte mit Leichtigkeit die Degenhiebe der beiden. Gomez sprang vor-

wärts und stieß zu, Zorro wich ihm seitlich aus. Verlegen sah der Corporal, daß er mit dem Degen den Apfel aufgespießt hatte, der im Maul des Spanferkels steckte.
Zorro trennte schwungvoll mit der Degenspitze einen Wachtelschlegel ab, führte ihn zum Mund und nahm einen Bissen.
»Köstlich«, sagte er und nickte Mendoza zu.
Zornentbrannt griff ihn nun der Alcalde an: »Mal sehen, ob Ihnen das auch schmeckt ...«
Er stieß vor, Zorro parierte und griff seinerseits an. Der Alcalde wirbelte um den Tisch herum und hatte Mühe, das Trommelfeuer von Zorros Degenhieben abzuwehren. Bald keuchte Ramon und schnappte nach Luft.
»Die kleine Übungsstunde wird Ihnen helfen, das üppige Mahl schneller zu verdauen, das Sie gerade vertilgt haben, Alcalde!« spottete Zorro und schleuderte das abgenagte Wachtelbeinchen nach ihm. »Hier, Ihr Nachtisch.«
Zorros Klinge schnitt ein »Z« in den Zuckerguß der großen Torte. Mit dem Finger streifte er die hängengebliebene Glasur von der Degenspitze und kostete sie.
»Meinen Glückwunsch zu Ihrem Koch, Mendoza!« rief er, dann wandte er sich zu Victoria und neigte leicht den Kopf: »Und meine Verehrung für Sie, Victoria ...« Mit dem Degen zog er eine prachtvolle Rose aus dem Tischschmuck in der Mitte der Tafel und reichte sie ihr.
Victorias Lächeln belebte den festlichen Raum, es blitzte wie Mondlicht auf dem Wasser.
»Danke für einen unvergeßlichen Augenblick!« sagte Zorro und pfiff nach Tornado.
Während der Alcalde um den Tisch ging, um einen neuen Angriffswinkel für die nächste Attacke gegen Zorro zu finden, erschien der schwarze Hengst. Wie herbeigezaubert tauchte er aus dem Nichts auf, als wäre auch er ein Gespenst. Zorro

sprang vom Tisch herunter durchs Fenster auf sein Pferd und verschwand spurlos in der Dunkelheit.
Der Alcalde marschierte in ohnmächtiger Wut im Raum auf und ab. »Er hat mich wieder zum Narren gehalten! Gomez ...« brüllte er, »nennen Sie das Fechten? Sie sind genauso ein Stümper wie Mendoza!«
Der ehemalige Sergeant fühlte sich von dieser Beleidigung des Alcalde gekränkt. »Aber – ein Gespenst war in meinem Haus, Señor!«
»Na und? Es war nur ein Gespenst. Aber das ...« er zeigte in die Dunkelheit, »war Zorro, der Feind des Volkes. Sie wollten mir helfen, ihn zu besiegen. Ich habe zwar nicht erwartet, daß Sie das schaffen, aber wo waren Sie überhaupt? Hinter Señorita Escalantes Röcken versteckt!« machte er sich über Mendoza lustig.
Victoria tätschelte Mendozas Brust. »Lassen Sie sich von ihm nicht weiter ärgern, Don Jaime. Danke, daß Sie mich beschützt haben«, flüsterte sie. »War Zorro nicht wundervoll?« und sie roch schwärmerisch an der Rose.
»Sí, Señorita, keine Ursache«, antwortete er, dann sah er den Alcalde empört an: »Wir Caballeros haben eine gemeinsame Aufgabe, wir müssen unsere Frauen und Kinder beschützen. Dieser Geist war viel gefährlicher als Zorro, Alcalde!«
Der Alcalde sah seinen ehemaligen Sergeant an. »Aha, ich sehe schon, wo Ihre Sympathien liegen, Mendoza. Sie nehmen wohl auch diesen maskierten Gauner in Schutz, wie die de la Vegas?« Er stürmte aus der Hacienda hinaus. »Gomez, wir reiten Zorro nach. Alarmieren Sie die Männer.«
Gomez eilte Ramon hinterdrein. Sekunden später galoppierten Pferde in die Dunkelheit hinaus und vernebelten den klaren Nachthimmel mit einer hohen Staubwolke.
»Ich glaube, ich sollte mich auch verabschieden«, sagte Victoria.

Don Jaime schüttelte enttäuscht den Kopf. »Ich glaube, mein Glückstreffer verwandelt sich in eine Pechsträhne«, sagte er und half ihr in die Satinjacke.
Victoria knöpfte ihre kurze Jacke am Hals zu und steckte Zorros Rose in eines der Knopflöcher. So konnte sie deren zarten Duft auf dem Heimritt einatmen.
Mendoza sah müde und verzweifelt aus. »Meine erste Abendeinladung, und schon ist die Katastrophe da. Der Geist erscheint, ich weiß mich nicht zu benehmen, und dann beschuldigt mich auch noch der Alcalde, ich würde Zorro in Schutz nehmen.« Seine Schultern fielen nach vorn und er sank auf einen Stuhl.
Victoria klopfte ihm auf die Schulter. »Nur Mut, Don Jaime. Sie waren ein guter Gastgeber. Ich bin der Meinung, es war ein gelungener Abend, so festlich und fast romantisch.«
»Wirklich?« antwortete Mendoza ungläubig.
»Natürlich. Das Essen war köstlich. Sie werden es lernen, wie man sich bei Tisch richtig benimmt. Sie haben jetzt genügend Zeit, sich feine Manieren anzueignen. Als Gastgeber sind Sie bereits sehr charmant. Bald werden Sie auch tadellose Manieren haben. Die jungen Frauen werden Ihnen nicht mehr widerstehen können«, sagte Victoria.
Mendoza errötete. »Maria auch?« fragte er hoffnungsvoll.
»Aber ja, Don Jaime«, Victoria lächelte, während sie zur Tür ging.
Mendoza hastete ihr nach. »Danke für Ihr Kommen, Señorita. Wünschen Sie, daß ich Sie zum Pueblo zurückbegleite? Ich möchte Ihnen zwar keine Angst machen, aber das Gespenst treibt sich hier draußen rum … irgendwo.« Seine Augen suchten ängstlich den Eingang ab.
»Danke, das ist nicht nötig. Ich lasse es darauf ankommen. Es ist sehr unwahrscheinlich, daß ich Ihr Gespenst treffe. Es hat es auf Ihre Hacienda abgesehen, nicht auf mich. Vielleicht treffe

ich eher das andere Nachtwesen«, und sie zwinkerte Mendoza zu.
»Wenn Zorro Sie nach Hause geleiten würde, wäre ich sehr beruhigt«, sagte Mendoza. »Ich weiß wirklich nicht, warum der Alcalde ihn so haßt. So ein schlechter Kerl ist er gar nicht. Er hält nur immer den Alcalde zum Narren.«
Victoria küßte Mendoza auf die Wange, bevor sie hinausging. Die Staubwolke, die der Trupp des Alcalde aufgewirbelt hatte, hatte sich gelegt, und der klare Sternenhimmel war zu sehen. Sie zog noch einmal tief den Duft von Zorros Rose ein. Eine Nacht zum Träumen, dachte sie bei sich.
Wie soll ich es hier aushalten? dachte Mendoza und sah sich auf seiner Hacienda um. Ich bin nur ein armer Sergeant, kein Caballero. Ich werde es nie lernen, so gute Manieren zu haben wie die Dons und mich dabei auch noch wohlzufühlen. Ich werde mich immer fehl am Platz fühlen, wie ein Fisch ohne Wasser oder ein Bär in der Stierkampfarena. Ich war gern mit meinen Kameraden in der Kaserne zusammen, ich habe immer gern in der Taverne gesessen und mit den anderen Männern Späße gemacht. Wenn Maria mich nur wegen meiner Hacienda mag, dann bleibe ich lieber allein. Das gilt auch für die Kusine des Alcalde.
Während er so seinen Gedanken nachhing, die vom Wein etwas durcheinander waren, kam er zu einer Schlußfolgerung: Vielleicht sollte ich dem Gespenst die Hacienda wieder überlassen, sie hat ihm viel länger gehört als mir. Oder vielleicht kann ich etwas anderes mit ihr anfangen?

Zorro kehrte in die versteckte Höhle hinter der de la Vega Hacienda zurück und glitt aus Tornados Sattel zu Boden. Felipe war gerade noch dabei, Tornados Stall zu säubern, neues Stroh auszulegen und einen Eimer mit Hafer zu füllen.
»Schon wieder da?« bedeutete er mit Zeichen, als Zorro abstieg.

»Der Alcalde hielt es für wichtiger, mich zu fangen als das Gespenst. Ich muß meine Nachforschungen morgen fortsetzen«, erwiderte er enttäuscht.

Postkutschenüberfall

Sonnenstrahlen spiegelten sich am nächsten Morgen im Kronleuchter des Schlafzimmers. Mendoza schlug sich auf die Brust und schloß die Messingknöpfe an seiner alten Jacke.
»Das sind die letzten Sachen, Torres«, sagte er und lächelte zufrieden. Er schlurfte gemütlich in seinen alten Hosen herum.
»Sind Sie sicher, Sergeant?« fragte Torres teilnahmslos. Er packte Mendozas ärmliche Siebensachen wieder in die Truhe.
»Sehr sicher. Ich bin ein Soldat, kein Don. Es ist nicht gut, aus mir etwas machen zu wollen, was ich nicht bin«, erklärte Mendoza. »Ich gehöre in eine Uniform, um meinem Land zu dienen.« Er ging in Position, schlug die Hacken zusammen und salutierte.
Torres klappte den Deckel der Truhe zu und ließ die Metallklammern, die sie fest verschlossen, einschnappen.

Die weiß getünchten Lehmwände der Hacienda der de la Vegas leuchteten im Sonnenlicht. Diego und Felipe saßen im Garten unter den warmen Strahlen und rätselten an den Knochen herum, die sie vor sich ausgebreitet hatten.
»Die Stücke passen immer noch nicht zusammen«, sagte Diego. Felipe sah ihn fragend an. »Wenn der Alcalde nicht dazwischengekommen wäre, hätte ich bestimmt herausgefunden, wer hinter dem Gespenst von Portillo steckt.«
Felipe nahm zwei Knochen in die Hand und versuchte, sie zu-

sammenzusetzen. Diego fuhr geistesabwesend mit dem Finger über die Stücke.

»Ich vermute, die Antwort liegt in Mendozas Hacienda«, sagte Diego und legte die zwei Knochen entschlossen nieder. »Komm, Felipe, wir werden unserem früheren Sergeant einen Besuch abstatten.«

Diego zeigte auf die Teergruben, an denen sie unterwegs vorbeikamen. »Wenn wir die Sache mit dem Geist erledigt haben, graben wir noch mehr Knochen hier aus. Man kann viel aus der Vergangenheit lernen, Felipe.«

Als sie vor der alten Portillo-Hacienda ankamen, trat Mendoza gerade mit Torres aus der Eingangstür. Sie schleppten eine große Truhe heraus. Ein klappriger Karren mit schiefen Rädern stand vor dem Haus. In der Sonne wartete müde ein altes Maultier, das den Kopf unter dem Gewicht des Geschirrs tief hängen ließ.

»Guten Morgen!« rief Diego überrascht, weil Mendoza wieder seine Uniform trug. »Wie ist die Einladung gestern verlaufen? Ich hoffe, es war ein anregender Abend!«

»So anregend, daß ich beschlossen habe, heute wieder hier auszuziehen!« antwortete Mendoza.

»Warum denn?« fragte Diego. »Wohin wollen Sie denn?«

»Zurück in die Kaserne!« antwortete Mendoza. »An meiner alten Arbeitsstelle hatte ich nur mit Dieben und Halsabschneidern zu tun. Das war viel ungefährlicher als mit Gespenstern! Bitte entschuldigen Sie mich, Don Diego. Ich habe zu tun. Ich möchte umgezogen sein, ehe die Postkutsche heute eintrifft. Vielleicht kommen Sie später in die Taverne und trinken mit mir auf mein kurzes Leben als Don?«

»Natürlich«, versicherte Diego. Seine Gedanken überschlugen sich. Was war hier los? Er mußte es herausfinden. »Was werden Sie mit der Hacienda anfangen?«

»Sie dem Gespenst überlassen«, kicherte Mendoza, »es sei

denn, ich bekomme ein besseres Angebot.« Er ging mit Torres zurück ins Haus.

Diego folgte den beiden mit den Augen, er blinzelte heftig, als sie die Eingangstür hinter sich zuschlugen. Da stand er nun mit Felipe und fragte sich, warum Mendoza so plötzlich seine Pläne über den Haufen geworden hatte. Während Diego über das Ereignis nachdachte, betrachtete er die Stufen, die zum Hauseingang hinaufführten. Er bemerkte einen Schuhabdruck von Torres, er war schwarz.

In der Hacienda deutete Torres in ruhigem Ton an: »Don Emilio hat vielleicht Interesse, das Land zu kaufen.«

»Ja, er sagte mir, er könne ein bißchen Abwechslung durch mein Gespenst brauchen«, erinnerte sich Mendoza. »Ich werde unterwegs bei ihm anhalten und ihn fragen.«

Mendozas schwerer Körper schaukelte auf dem harten Sitz des Karrens hin und her, während die schiefen Räder auf dem holperigen Weg zur Stadt rumpelten. Sein Pferd war mit einem Seil hinten am Karren, den das alte Maultier zog, festgebunden. Pfeifend und mit viel gutem Zureden dirigierte er das Maultier auf Don Emilios Gut. Der Caballero sah ihn kommen und ritt ihm entgegen.

»Torres hat mir gesagt, daß Sie Ihr Land verkaufen wollen«, empfing er Mendoza.

»Sí, Don Emilio«, antwortete dieser. »Als der Geist gestern abend sogar trotz meiner Gäste auftauchte, wußte ich, daß ich hier nie Ruhe finden werde.«

»Wie schade! Sie können sich denken, daß eine Hacienda, auf der es spukt, keinen hohen Preis erzielt. Niemand wird sie Ihnen abkaufen wollen«, sagte Don Emilio schlau und beobachtete Mendozas Reaktion genau. »Aber weil das Land direkt an meines grenzt und weil ich sehe, wie verzweifelt Sie die Hacienda los werden wollen, möchte ich Ihnen zweihundert Pesos dafür bieten.«

»Zweihundert?« schrie Mendoza auf. »Was? Das reicht noch nicht einmal für die Steuern! Das ist kein Kauf – das ist Raub! Das Land ist zweitausend Pesos wert, wenn nicht sogar einen Centavo!«
»Sie können es sich ja bis morgen abend überlegen. Wenn Sie ein besseres Angebot bekommen, dann nehmen Sie es um Himmels willen an. Aber hier weiß jeder von dem Gespenst, solche Nachrichten sprechen sich schnell herum«, erklärte Don Emilio. »Ich muß nach meinen Herden sehen. Adios!« Er gab seinem Pferd die Sporen, wirbelte eine Staubwolke auf und ließ Mendoza, der einen Hustenanfall bekam, stehen.

Am späten Vormittag ging Diego laut vor sich hin denkend in der Höhle auf und ab, während Felipe Tornado striegelte. »Nun fangen die Dinge doch noch an, zusammenzupassen. Als Torres in die Hacienda ging, gab mir der Abdruck seines Stiefelabsatzes einen Hinweis.« Felipe hielt inne und wandte Diego seine ganze Aufmerksamkeit zu. »Wenn es das ist, was ich vermute, werde ich das Geheimnis um das Gespenst bald lüften.«
Ehe Felipe die Frage ausdrücken konnte, die ihm im Kopf herumging, hörten sie Don Alejandros Stimme. »Diego?«
Mit raschem Kopfnicken zu Felipe lief Diego an die Geheimtür und spähte durch das versteckte Guckloch in die Bibliothek hinaus. Er sah seinen Vater ins Zimmer treten, sich umsehen, den Kopf schütteln und wieder hinauslaufen. Sofort drückte Diego auf den Knopf, und die Geheimtür öffnete sich. Er schlüpfte aus der Rückwand des Kamins in die Bibliothek.
Don Alejandro hörte ein Geräusch und kam zurück. Verdutzt sah er Diego im Zimmer stehen. Verzeih, daß ich dich so verwirren muß, Vater, dachte Diego.
»Was ist, Vater?« fragte er dann und unterdrückte sein heimliches Vergnügen darüber, plötzlich wie durch Zauberkraft auf-

tauchen zu können. »Du siehst aus, als hättest du ein Gespenst gesehen.«
Alejandro schüttelte den Kopf. »Ich hätte schwören können, daß niemand hier war ...« Er verwarf den Gedanken. »Jedenfalls, als ich heute morgen in der Stadt war, hörte ich, daß Mendoza ein Angebot für den Verkauf seiner Hacienda hat.«
»Ich dachte, er will sie dem Geist Don Portillos überlassen?« erwiderte Diego belustigt. »Eigentlich überrascht mich das nicht. Nur, wer möchte sie denn kaufen?«
»Sein Nachbar, Don Emilio. Die anderen Caballeros und ich wollten sie auch erwerben und daraus ein Waisenhaus machen«, erklärte Alejandro.
»Eine sehr gute Idee!« antwortete Diego begeistert.
»Ja, unser Pueblo braucht dringend eines, aber Mendoza will sich unser Angebot erst anhören, wenn er über das von Don Emilio entschieden hat. Er glaubt, ein Gentleman wie er müsse jedes Angebot einzeln abwägen und nicht mehrere gegeneinander ausspielen«, beklagte sich Don Alejandro.
Obwohl Diego diese Nachricht sehr interessierte, gab er vor, sie sei ihm nicht so wichtig. »Also hat das Schicksal wohl gegen ein Waisenhaus entschieden.«
»Wann wirst du begreifen, Diego, daß das Schicksal in den Händen derjenigen liegt, die etwas unternehmen!« brauste Don Alejandro auf und stürmte aus dem Zimmer. Er war äußerst aufgebracht über die Ungerührtheit seines Sohnes.
Felipe hatte die Szene durch das Guckloch beobachtet. Sobald Alejandro draußen war, schlüpfte er durch die Geheimtür.
»Mein Vater hat recht, Felipe ... man muß etwas unternehmen!« sagte Diego.
Felipe zeichnete mit den Fingern ein »Z« in die Luft. Diego nickte lächelnd. »Heute abend. Jetzt werde ich mit Esperanza in die Stadt reiten und die Postkutsche abwarten. Vielleicht treffen die Bücher, die ich aus Spanien bestellt habe, endlich ein.«

Diego ritt in leichtem Galopp auf seiner hellen Stute dahin. Der Tag war so schön, daß er einen Umweg machte und über die von Zwergeichen bestandenen Hügel ritt. Wilde Gräser bedeckten den Boden, gesprenkelt mit bunten Frühlingsblüten. Auf einer Bergkuppe hielt er an und genoß die Aussicht. Am fernen Horizont glitzerte der Pazifische Ozean in der Sonne. Unten vor ihm verlief El Camino Real, die Straße der Könige.
Eines Tages, dachte Diego, wird dieser schmale Weg eine breite Straße sein, und Tausende von Menschen werden dieses goldene Paradies hier bevölkern. Er spähte hinunter. Einige Kilometer landeinwärts vom Hafen San Pedro entfernt zog eine Kutsche seinen Blick an. Sie fuhr ungewöhnlich schnell, das konnte er erkennen. Ein Staubwirbel folgte ihr.
Jemand muß zu Pferd hinter ihr herjagen, dachte Diego. Sieht aus, als gäbe es da Schwierigkeiten! Er drehte Esperanza um und galoppierte nach Hause zurück, direkt in die Schlucht hinter der Hacienda, wo er vor Zorros Geheimgang anhielt.
Felipe war erstaunt, Diego schon wiederzusehen. »Ich habe keine Zeit, es dir zu erklären, Felipe. Zorro muß los!« verkündete Diego.
Sofort begannen Felipe und Diego zu handeln, wie sie es schon so oft getan hatten. Während Diego sich umzog und in Zorro verwandelte, sattelte Felipe Tornado. Schon nach wenigen Minuten stürmte der maskierte Reiter auf seinem schwarzen Hengst hinaus in die Schlucht.
Felipe führte Esperanza zurück in den Stall, gab ihr Futter und bürstete sie ab, während Zorro so schnell er konnte der bedrohten Kutsche zu Hilfe eilte.

In der Postkutsche hockten zwei Männer und eine Frau zusammengekauert am Boden, während der Kutscher die Pferde fürchterlich antrieb. Andres Bolanos, ein dünner, schüchterner Mann, jammerte: »Ich bin nur ein einfacher Botaniker. Ich bin für solche Abenteuer nicht geschaffen. Ich habe fast fünfzig Jahre lang ein ruhiges Leben geführt.«

»Schweigen Sie! Es ist auch ohne Ihr Gejammer schon schlimm genug«, flüsterte Honorio Aragon, ein vornehm aussehender Konzertpianist. Sein silbernes Haar und sein würdevolles Benehmen verstärkten den Eindruck von elegantem Adel.

Aragon spähte zum Fenster hinaus. Hermalinda Ramon, die Kusine des Alcalde, versuchte sich aufzurichten und ebenfalls hinauszusehen. Aragon drückte sie wieder hinunter, sie sah ihn entrüstet über die grobe Behandlung an. Doch als sie einen Blick auf den maskierten Banditen erhaschte, der in vollem Galopp neben der Kutsche herjagte, schnappte sie nach Luft und sank von selbst auf den Boden zwischen die beiden Männer zurück. Aufgeregt fingerte sie am Satinband ihres Hutes herum.

Der Bandit zielte mit seiner Pistole in die Kutsche, als Hermalindas Gesicht hochkam. Sie schauderte, als die Kugel an der Kutsche abprallte. Als der Bösewicht schließlich die Lücke zwischen sich und der Kutsche geschlossen hatte, sprang er von seinem Pferd auf das Trittbrett an der Seite. Er hielt sich krampfhaft fest, damit ihn das Wiegen und Rütteln nicht abwarf, und kletterte auf das Dach. Er schwenkte die Pistole über seinen Kopf, dann schlug er sie dem Kutscher, der ihn hinter sich nicht bemerkt hatte, ins Genick. Der Mann sackte hilflos auf seinem Sitz zusammen.

Der Bandit packte die Zügel und peitschte auf die Pferde ein, so daß sie noch schneller wurden.

In diesem Augenblick erreichte Tornado eine Anhöhe oberhalb der Kutsche. Ohne Zögern flog der schwarze Hengst den Abhang hinunter dem Wagen nach. Der Räuber schlug wütend auf die Pferde ein, die immer schneller vorwärts rasten. Sie hatten Schaum vor dem Maul, und ihre Nüstern flatterten vor Anstrengung.

In den Augenwinkeln sah der Verbrecher Tornado von hinten

aufschließen. Wieder schlug er auf die Pferde ein. Als Zorro in gleicher Höhe mit der Kutsche war, sprang er auf das Seitentrittbrett und faßte nach dem Türgriff. Doch auch ihm machte die rasende Fahrt der Kutsche Schwierigkeiten, und er hatte große Mühe, sich festzuhalten.
Aragon wagte einen kurzen Blick aus der Kutsche. Er sah eine Gestalt mit schwarzer Maske, schwarzem Hut und schwarzem Cape sich außen anklammern. »Jetzt sind es zwei«, flüsterte er erschrocken. »Bleiben Sie unten, beide!« befahl er.
Hermalinda konnte ihre Neugier nicht bezähmen, aber bis sie sich hochgestemmt hatte, war Zorro verschwunden. Er hatte sich auf das Dach hinaufgezogen.
»Sie haben vor Angst Halluzinationen«, beschimpfte sie den Pianisten, dann zischte sie: »Nehmen Sie Ihre Hände von meinem Nacken«, und entwand sich seinem Griff.
Der Bandit drosch immer noch mit den Zügeln auf die Pferde ein. Als er sich umsah, galoppierte Tornado neben der Kutsche her, aber sein Sattel war leer. Der Schurke wußte, was das bedeutete, er sah gerade noch, wie Zorro auf das Dach kletterte. Er packte die Peitsche fester und ließ sie nach hinten schnalzen. Doch er mußte auf die Pferde achten und sofort wieder nach vorn sehen, deshalb entging ihm, daß Zorro sich duckte, das Gleichgewicht verlor und übers Dach nach hinten rollte.
Als der Bandit einige Sekunden später noch einmal über seine Schulter zurückblickte, sah er nichts mehr von Zorro. Ein befriedigtes Grinsen huschte über sein Gesicht, dann klatschte er den Pferden wieder die Zügel auf den Rücken.
Inzwischen hing Zorro mit festem Griff am Gepäckständer hinten an der Kutsche. Mit äußerster Konzentration zog er sich langsam an der Seite vorbei nach vorn. Als er sich am Fenster vorbeiarbeitete, fing er Hermalindas Blick auf. Er zwinkerte ihr zu. Sie kreischte auf. Aragon drückte sie erneut zu Boden. Bolanos murmelte entsetzt vor sich hin.

Tornado war jetzt gleichauf mit den Zugpferden. Sie waren so wild geworden, daß der Gauner auf dem Kutschbock fast die Kontrolle über sie verlor. Er holte wieder mit der Peitsche aus und schlug nach dem Hengst. Als Zorro sah, daß der Bandit Tornado wegzujagen versuchte, wurde er wütend. Das gab ihm noch eine Spur mehr Kraft.
Er kletterte auf der Seite, die der Bandit nicht einsehen konnte, zurück auf das Kutschendach und überraschte ihn von hinten mit einem rechten Haken auf die Kinnlade, so daß er auf dem Sitz zusammensank. Nun waren beide Kutscher bewußtlos. Zorro versuchte mit aller Kraft, die Pferde zu halten. Während er mit den Zügeln kämpfte, kam der Kutscher zu sich. Als er Zorro erblickte, erschrak er zuerst noch mehr.
»Ich bin auf Ihrer Seite«, versicherte ihm Zorro jedoch und zeigte auf den bewußtlosen Banditen.
Dankbar überließ Zorro dem Kutscher wieder die Zügel. Dann packte er den kraftlos zusammengesackten Räuber fest am Kragen und zog ihn hoch. Zu Zorros Überraschung schwang dieser plötzlich sein Bein herum und versuchte, Zorro wegzustoßen. Reaktionsschnell wehrte Zorro das Bein ab und versetzte dem Räuber einen erneuten Kinnhaken, so daß er seitlich vom Kutschbock hinunterflog. Genau in dem Moment, als der Bandit den Boden berührte, kam der Wagen zum Stehen. Er hing stark nach einer Seite, denn ein Rad war gebrochen.
Torkelnd kam der Bandit auf die Füße, entdeckte nicht weit entfernt ein kleines Wäldchen und floh darauf zu. Zorro sprang vom Kutschbock direkt in den Sattel auf Tornados Rücken und setzte ihm nach.

Eine reizende Kusine

Der Bandit lief so schnell er konnte durch das Gehölz. Er duckte sich unter niedrighängenden Zweigen, trampelte neue Schößlinge nieder, wich alten Zwergeichen aus, aber Zorro war ihm auf den Fersen. Er band sein Lasso vom Sattel los und suchte nach einem dicken Ast an einer Eiche, an der der Flüchtende vorbei mußte.

Dann ließ er das Seil über seinem Kopf kreisen, zielte genau nach den Füßen des Straßenräubers und schleuderte das Lasso nach vorn. Der Bandit hörte etwas durch die Luft pfeifen und sah irritiert über seine Schulter. Dabei stolperte er über einen Stein und fiel hin. Die Schlinge des Lassos legte sich um seine Füße. Mit einem schnellen Ruck zog Zorro das Seil fest, dann warf er das freie Ende über den hohen Ast, fing es auf und zog den Gefangenen vom Boden hoch. Dieser bemerkte verblüfft, daß er plötzlich kopfüber in der Luft hing.

Zorro zurrte das freie Seilende am Sattelknopf fest, sprang ab und lief zu dem Mann hin. Als erstes streifte er ihm das bunte Halstuch ab, das dieser sich vors Gesicht gebunden hatte.

»Lopez!« rief Zorro erstaunt. »Ich habe dich erst vor sechs Monaten ins Gefängnis geschickt. Was tust du schon wieder draußen?«

»Aus mir kriegen Sie nichts heraus«, gab Lopez trotzig zurück.

Zorro lächelte. »Dann muß ich's anders versuchen«, damit packte er das Seil und zog Lopez ein Stück höher.

»Aua …« schrie Lopez und ließ die Augen rollen, weil ihm schwindlig wurde. »Bitte nicht! Der Alcalde hat mich rausgelassen«, gestand er.

»Warum sollte er das tun?« wunderte sich Zorro.

»Er hat mir gesagt, ich soll die Postkutsche aus San Pedro überfallen«, antwortete Lopez und schwang in der Luft hin und her. »Seine Kusine sitzt drin, und er wollte sie so erschrecken, daß sie wieder umkehrt.«

Während Zorro Lopez ausfragte, kletterten die beiden männlichen Passagiere aus der Kutsche, nachdem diese ruckartig zum Stehen gekommen war. Aragon bürstete sich den Staub von den Ärmeln seiner schwarzen Jacke und schritt würdig und gemessen nach vorn zum Kutscher. Bolanos wagte sich verschüchtert auf das Trittbrett hinaus. Seine runden Äuglein suchten ängstlich die Umgebung ab. Der Botaniker war ein Nervenbündel. Er zog sein Taschentuch aus dem Ärmel und betupfte sich Stirn und Nase. Dann trat er zu Aragon und dem Kutscher, die sich das gebrochene Rad ansahen.
»Dieses Rad hält keinen Kilometer mehr aus«, bemerkte Bolanos zaghaft. Beide Männer warfen ihm einen verächtlichen Blick zu: das hatten sie auch schon festgestellt. Doch ehe einer antworten konnte, erregte etwas auf der Straße ihre Aufmerksamkeit. Zorro kam mit Lopez auf sie zugeritten.
»Woher wußten Sie, daß ich die Kutsche überfallen würde?« fragte Lopez Zorro.
»Sagen wir mal, ich ritt einfach zufällig vorbei«, antwortete dieser. »Aber eine bessere Frage: Warum will der Alcalde nicht, daß seine Kusine nach Los Angeles kommt?«
»Hat er mir nicht gesagt«, gestand Lopez.
Aus der Postkutsche ertönte eine laute, herrschsüchtige Frauenstimme: »Das ist eine Frechheit!«
Lopez und Zorro sahen einander an. Dieser eine kreischende Satz genügte, um sie ahnen zu lassen, warum der Alcalde seine Kusine nicht um sich haben wollte.
Hermalinda Ramon wollte auch aussteigen. Die Kutsche hatte Schlagseite wegen des gebrochenen Rades. Hermalindas Gewicht drückte die andere Seite hinunter, doch die Kutsche ging wieder hoch und warf Hermalinda ins Wageninnere zurück. Sie hielt sich am Fenster fest, zog sich hoch und rückte ihren Hut wieder gerade. Dann streckte sie den Kopf heraus und drehte sich seitwärts, um die breiten Schultern durch die schmale Tür

zu hieven. Als sie draußen stand, sah Señor Bolanos neben ihrer großen, kräftigen Gestalt richtig mickrig aus.

»Was soll das heißen, das Rad hält nichts mehr aus?« kreischte sie, holte mit ihrer Handtasche aus und schlug sie dem armen Kutscher auf den Kopf. »Ich muß nach Los Angeles. Was für ein primitives Land, hier leben nur Barbaren.« Sie blickte in die Weite und stöhnte. »Nichts als Wüste!« Noch einmal schlug sie mit der Tasche zu.

Der Kutscher warf die Arme hoch, um seinen Kopf zu schützen. »Bitte, Señora ...«

»Señorita«, schrie sie ihn an und holte erneut aus. Vor Wut verzerrten sich ihre Gesichtszüge. Sie war keinen Deut weniger bösartig als der Alcalde. Der Kutscher duckte sich, um der um sich schlagenden Furie auszuweichen.

Sie schlug wieder zu. »Sie nichtsnutziger Versager. Sie haben es zugelassen, daß der Bandit mir so was antut. Warten Sie, bis mein Vetter das erfährt. Der wird dafür sorgen, daß so was nicht noch mal vorkommt.«

»Dafür sorgen Sie ja schon«, erwiderte der Kutscher.

Zorro grinste in sich hinein. Anscheinend ist Bosheit bei dieser Familie angeboren. Die Kusine ist aus dem gleichen Holz geschnitzt wie der Alcalde. Ich verstehe nicht, warum er sich nicht über ihr Kommen freut. Sie ist wirklich überwältigend!

Mendoza klopfte laut an die Bürotür des Alcalde.

»Herein«, rief Ramon, der hinter seinem Schreibtisch unter Bergen von Akten saß. Er sah auf, als Mendoza ins Büro trat. »Ach, Sie sind's ...« sagte er geistesabwesend und wandte sich sofort wieder seinen Unterlagen zu. Doch irgend etwas stimmte nicht, schoß es ihm durch den Kopf. Er sah nochmals hoch. Was war anders an Mendoza? Er stand auf und ging um den Sergeant herum. Plötzlich fiel es ihm wie Schuppen von den Augen.

»Sergeant?« fragte Ramon.

»Sí, mi Alcalde«, antwortete Mendoza und nahm Haltung an, seinen Hut hatte er unter den Arm geklemmt.
»Warum tragen Sie wieder Ihre Uniform?« fragte Ramon.
»Ich möchte meine alte Stellung wiederhaben, wenn's möglich wäre, bitte«, antwortete Mendoza. »Ich bin viel lieber Sergeant als Don.«
»Nach der Vorstellung, die Sie gestern abend gegen Zorro gegeben haben? Sie wollen mich wohl verkohlen?« höhnte der Alcalde.
»Nein, überhaupt nicht. Ich sehne mich nach dem Leben in der Kaserne, nach den Kameraden. Ich möchte wieder in der Taverne essen, meine Uniform tragen, ich möchte wieder ...«, begann er zu erklären.
»Genug!« rief der Alcalde. »Sie können nicht heute von Ihrem Posten zurücktreten und ihn morgen wieder haben wollen!«
Gonzalez stürzte atemlos zur Tür herein. »Ich kann ihn nirgends finden. Die Männer haben die ganze Gegend durchgekämmt, Alcalde. Lopez ist geflohen.«
»Lopez ist ausgebrochen?« rief Mendoza aus. »Corporal, haben Sie wieder im Dienst geschlafen?«
»Bitte, es war mein erster Fehler«, flehte der Corporal.
»Beim Militär kann man keine Fehler machen. Sie müssen ununterbrochen auf der Hut sein, Corporal. Der Alcalde muß sich fünfundzwanzig Stunden täglich auf Sie verlassen können!« schimpfte Mendoza.
Belustigt hörte der Alcalde zu, er hätte diese Strafpredigt auch nicht besser halten können.
Sollen ruhig alle denken, Gonzalez habe geschlafen und Lopez habe deshalb entkommen können, dachte er. Nur der Gefangene und ich kennen die Wahrheit.
»Sie sehen, Alcalde, Sie brauchen mich hier, um alles im Griff zu haben«, erklärte Mendoza.
»Ich verstehe Ihren Standpunkt ... entschuldigen Sie ... Don Mendoza«, fing sich der Alcalde.

»Nein, bitte, Alcalde, ich mag lieber die alte Anrede«, erwiderte der Sergeant.

Nein, Mendoza, dachte Ramon, so leicht kommst du mir nicht davon. Falls es Lopez nicht gelingt, Hermalinda abzuschrecken, muß ich meinen nächsten Plan zu Hilfe nehmen. Und zu dem Plan gehörst du. Wenn ich ihren Besuch ertragen muß, dann will ich dafür entschädigt werden. Der Anspruch auf dein Land ist genau die Entschädigung für die Quälereien, die ich unter dieser Dame in meiner Kindheit erleiden mußte. Und du, mein lieber Sergeant, wirst zum Ausgleich dafür, daß du mich während deiner Dienstzeit so genervt hast, dein Leben lang meine Kusine ertragen müssen!

»Wissen Sie, Mendoza«, erklärte der Alcalde, »die Postkutsche aus San Pedro muß bald eintreffen, da ist noch die Sache mit meiner Kusine, die wir besprochen haben. Ein Don wird sie mehr beeindrucken als ein Sergeant. Sie ist genau im richtigen Heiratsalter. Eine voll zur Reife gekommene Frucht, die nur darauf wartet, gepflückt zu werden.«

Mendozas Entschlossenheit begann zu bröckeln. »Sí, aber, vielleicht mag sie mich auch einfach so wie ich bin.«

»Oh, das halte ich für unwahrscheinlich«, entgegnete Ramon und fingerte an Mendozas abgewetztem roten Mantelkragen herum. »Sie ist an gutgekleidete Männer gewöhnt. Und dann, Ihr schöner Grundbesitz – haben Sie das bedacht, Mendoza?«

»Ich denke gerade über ein Angebot von Don Emilio nach, der ihn kaufen will«, antwortete Mendoza eingeschüchtert.

»Was? Sie wollen Ihr Land verkaufen? Sind Sie verrückt?« rief der Alcalde.

»Ich denke ja nur darüber nach«, stammelte Mendoza.

»Dann müssen wir alle beide nachdenken. Ich werde mir überlegen, ob ich Sie wieder in den Dienst nehme, und Sie überlegen sich den Verkauf«, sagte der Alcalde unwirsch. »Gehen Sie rüber und empfangen Sie die Postkutsche!« und er entließ ihn mit einer wegscheuchenden Handbewegung.

Hermalinda überhäufte noch immer den Kutscher mit wütenden Beschimpfungen: »Sie Trottel! Verteidigt man so eine schutzlose Dame?« schrie sie.
»Señorita, lassen Sie doch den armen Mann in Ruhe«, protestierte Bolanos.
Hermalinda fuhr aufgebracht herum und richtete ihre Wut nun gegen den Pianisten. »Und Sie, wo waren Sie bei dem Überfall? Unter dem Sitz versteckt!«
»Ich ... ich habe Sie beschützt«, erwiderte er entrüstet, »und ich suchte meine Uhr, die mir hinuntergefallen war.«
»Lügner! Sie sind nur ein ...« fuhr sie fort.
Hinter der Kutsche hervor unterbrach sie eine Stimme: »Señorita ...«
Sie wandte sich um und erblickte Zorro in stolzer Haltung auf Tornados Rücken, die Zügel von Lopez' Pferd in der Hand haltend. Lopez balancierte mit auf dem Rücken zusammengebundenen Händen auf seiner Stute. Das bunte Halstuch, das er sich vorher über Nase und Mund gebunden hatte, hing ihm lose um den Hals. Sein Hut baumelte im Nacken.
»Es freut mich zu sehen, daß niemand verletzt wurde«, sprach Zorro weiter.
»Zorro!« kreischte Hermalinda. »Ergreift ihn, los!«
»Ich fühle mich geschmeichelt, daß Sie schon von mir gehört haben. Doch dies ist der Mann, der Sie ausrauben wollte«, sagte Zorro und zeigte auf Lopez. »Seien Sie versichert, ich werde ihn der Gerechtigkeit ausliefern.«
»Ich danke Ihnen, Señor Zorro«, sagte Aragon mit einer eleganten Verbeugung. »Dieses Kalifornien ist ein eigenartiges Land. Tragen hier alle Masken? Banditen und ehrenwerte Männer?«

»Nein, Señor«, antwortete Zorro mit heimlichem Lächeln.
»Hmmm – wie schade«, antwortete Aragon ruhig und betrachtete dabei die Frau neben sich. Hermalinda erwiderte seinen Blick mit einem Naserümpfen. Er übersah das geflissentlich und stellte sich Zorro vor: »Ich bin Honorio Aragon, Konzertpianist.«
»Der ganze Pueblo freut sich schon auf Ihr Spiel«, sagte Zorro.
»Ach, nein!« giftete Hermalinda überheblich und preßte ihre Handtasche an die Brust. »Die müssen alle taub sein in diesem Pueblo!«
»Señorita, ich ...« protestierte Aragon.
»Ein Konzertpianist wollen Sie sein!« höhnte sie. »Ich bin die Schneiderin der berühmtesten Maestros von Europa. Wer schneidert denn Ihre Kleider? Sie sehen aus wie ein Leichenbestatter!«
Aragon holte langsam und beherrscht Atem und preßte die Hände fest hinter seinem Rücken zusammen. Seine Wangenmuskeln zitterten. Wenn Hermalinda ein Mann gewesen wäre, hätte er diesem seinen Handschuh auf die Wange geklatscht und ihn zum Duell gefordert.
Bolanos unterbrach, ehe Aragon antworten konnte. »Verzeihen Sie, aber ... Señor Zorro, ich bin Andres Bolanos«, sagte er schüchtern und wich ein paar Schritte aus der Reichweite von Hermalindas umherschwingender Handtasche.
»Ich bin nach Kalifornien gekommen, um einige einheimische Sukkulenten*-Arten zu erforschen ...«
»Wir sind an Ihrer Lebensgeschichte nicht interessiert, Bolanos«, platzte Hermalinda dazwischen. »Kommen Sie zum Wesentlichen.«
»Im Gegenteil, Señorita«, warf Zorro ein. »Es ist weit im Land bekannt, daß Don Alejandro de la Vega ein Fachmann auf

* Kakteen (Fettpflanzengewächse)

diesem Gebiet ist. Er hat eine ungewöhnlich reichhaltige Sammlung auf seiner Hacienda. Vielleicht können Sie ihm einen Besuch abstatten«, regte Zorro an.
»Vielen Dank, Señor Zorro. Das wäre für mich außerordentlich interessant«, gab Bolanos zurück. Er faßte Mut und wandte sich an Hermalinda: »Sie haben mich unterbrochen. Ich wollte nur fragen, wie weit es nach Los Angeles noch ist.«
»Zu Fuß eine Stunde, Señor«, klärte ihn Zorro auf.
»Zu Fuß?« schrie Hermalinda. »Sie glauben doch nicht, daß ich zu Fuß gehe?«
»Es sei denn, Sie können das Rad reparieren, Señorita. Vermutlich haben Sie keine andere Wahl«, erwiderte Zorro lächelnd und tippte an seinen Hut, um sich von Aragon und Bolanos zu verabschieden. Er winkte kurz. »Falls Sie Don Alejandro de la Vega besuchen, grüßen Sie ihn bitte von mir. Gute Reise, Señores!« Mit sanftem Absatzdruck setzte er Tornado in Trab und zog Lopez am Seil hinter sich her.
Hermalinda fuchtelte erbost mit den Armen durch die Luft. »Ich werde meinem Vetter von Ihrem unverschämten Benehmen berichten. Sie Wegelagerer! Sie Straßenräuber!« rief sie Zorro nach.
Lopez ritt mit Zorro gleichauf, die Pferde trabten gemächlich auf den Pueblo zu.
»Lopez«, lächelte Zorro, »es wäre dir nie gelungen, die Frau zum Umkehren zu bewegen.«
Lopez stimmte zu. »Kein Wunder, daß der Alcalde sie nicht hierhaben will.«

Grüße von der Familie

Entmutigt von der Reaktion des Alcalde auf seine Bitte, in den Militärdienst zurückkehren zu dürfen, zog Mendoza die Uniform wieder aus. In der warmen Mittagssonne wartete er auf die Ankunft der Postkutsche. Nach einer Stunde ging er hinüber in die Taverne.

»Buenas tardes, Mendoza«, begrüßte ihn Victoria. »Warum ziehen Sie so ein Gesicht?«

»Die Postkutsche hat Verspätung«, antwortete er.

»Das hat sie öfter. Gewöhnlich hat Ihnen das nichts ausgemacht. Vielleicht kann eine Kleinigkeit zu essen Ihre Stimmung ein bißchen aufheitern. Ich habe frische Tamales in der Küche.«

Sein Gesicht hellte sich kurz auf. »Ja, das hört sich gut an.« Er setzte sich an einen Tisch in der Ecke. Als er wieder allein war, kehrte seine Niedergeschlagenheit zurück. Victoria brachte ihm die Tamales und etwas Wein. »Würden Sie sich einen Augenblick zu mir setzen?« fragte Mendoza und wies auf den Stuhl neben sich.

Sie stellte das Essen auf den Tisch und setzte sich. »Was ist los, Mendoza?« fragte sie etwas besorgt über die ungewohnte Bitte des Sergeant.

Mendoza atmete tief das köstliche Tamales-Aroma ein. Dann sah er Victoria an und sagte ruhig: »Ich möchte gerne ein Zimmer für heute nacht, oder vielleicht für mehrere Nächte.«

»Aber was ist mit Ihrer Hacienda?« fragte sie überrascht.

»Ich kann da nicht bleiben«, antwortete Mendoza. »Sie werden nicht über mich lachen, Victoria, nicht wahr?« Seine Augen blickten ängstlich und hilflos. Victoria schüttelte den Kopf. Er beugte sich zu ihr vor und flüsterte leise: »Ich habe Angst vor dem Gespenst. Don Emilio will mir den Besitz abkaufen, das wissen Sie sicher. Aber sein Angebot ist jämmerlich niedrig. Ich

habe Zeit bis morgen abend, um mich zu entscheiden. Inzwischen habe ich den Alcalde gefragt, ob er mir meinen alten Posten wiedergibt. Er will es sich überlegen, während ich mir Don Emilios Angebot überlege. Kann ich hierbleiben?«
»Natürlich«, antwortete sie und tätschelte ihm ermutigend die Hand. »Ich nehme an, die Zimmer oben werden heute nacht von den Reisenden aus der Postkutsche belegt. Aber das kleine Zimmer hinter der Küche ist frei. Es ist nicht größer als Ihres in der Kaserne, aber es hat Morgensonne, und abends macht das Feuer in der Küche es warm und gemütlich.«
»Ich nehm's!« strahlte Mendoza. Erleichtert und glücklich machte er sich über seinen Teller voll Tamales her.

Während Mendoza aß, neigte sich die Sonne am blauen Himmel allmählich ihrem nachmittäglichen Abstieg ins Meer zu. Drei streitende, erhitzte, erschöpfte Reisende wanderten unter dem Ortsschild hindurch in den »Pueblo de Los Angeles«. Mendoza trat aus der Taverne und rieb sich wohlig den vollen Bauch. Zum ersten Mal war er wieder der alte Kerl. Er ging auf sein klappriges Wägelchen zu und wollte seine Truhe in Victorias Taverne schleppen, da sah er drei geisterhafte Gestalten am Horizont auftauchen. Er rieb sich die Augen. Staub mischte sich in das Hitzegeflimmer, das vom Boden aufstieg, und ließ die langsam sich vorwärts bewegenden Gestalten verschwimmen, es sah aus wie eine Fata morgana.
»Nein!« jammerte er und stürzte zurück in die Taverne.
»Mendoza, Sie sehen aus, als hätten Sie noch ein Gespenst erblickt!« rief Victoria aus, als er zur Tür hereinstürzte.
»Nicht eines«, Mendoza schauderte, »... drei!«
Victoria sah ihn zweifelnd an. Sie beugte sich aus der Tür und kniff die Augen zusammen, weil sie in die untergehende Sonne blickte. Drei Menschen wanderten schweren Schrittes auf die Plaza zu. Sie warf Mendoza ein erleichtertes Lächeln zu. »Ich

glaube, die Passagiere sind angekommen«, sagte sie, »... ohne die Postkutsche.«
Mendoza seufzte erleichtert auf. Er trat neben ihr durch die Eingangstür hinaus.
»Stellen Sie sich vor, der berühmte Honorio Aragon wird in meiner Taverne ein Klavierkonzert geben«, sagte Victoria und lief auf die Plaza, um ihn zu begrüßen.
Mendoza spuckte in die Handflächen und strich sich damit die Haare zurück, ehe er Victoria folgte. Eine kleine Menschenmenge sammelte sich um die drei erschöpften Reisenden. Der Kutscher wankte hinter ihnen her, er schleppte schwer am Gewicht ihrer vielen Gepäckstücke.
»Willkommen in unserem Pueblo«, empfing Victoria sie mit einem warmherzigen Lächeln.
»Das ist Los Angeles?« stieß Hermalinda hervor. »Was für ein elendes kleines Drecknest!«
Das ist die Kusine des Alcalde? dachte Mendoza. Er tauschte einen peinlich berührten Blick mit Victoria. Der Alcalde hatte zwar viele Fehler, aber er war ohne Zweifel ein gutaussehender Mann. Doch was war ihr zugestoßen? Sie sieht aus, als hätte ein wildgewordener Stier auf ihr rumgetrampelt, dachte Mendoza weiter. Wenn sie nicht einmal hübsch ist, wie soll man so eine große, giftige Frau ertragen?
»Señorita, der Schmerz in meinen Füßen ist nichts gegen die Qual, die Sie meinen Ohren bereitet haben«, beklagte sich Aragon bei Hermalinda. Sie wandte verächtlich den Kopf ab.
Victoria sprach Bolanos an: »Señor Aragon?«
»Soll das heißen, dieser Mann sieht aus wie ein Meister der Tasten?« fragte Aragon entrüstet. »Er ist nur ein kleiner Botaniker. Ich bin Aragon.«
Victoria entschuldigte sich rasch für ihren Irrtum. »Verzeihung, Señor, es ist mir eine Ehre, Sie begrüßen zu dürfen.«
»Das sollte es auch«, gab der Pianist arrogant zurück.

Ramon bemerkte die Menge, die sich vor seinem Bürofenster auf dem Platz versammelt hatte. Neugierig ging auch er hinaus, doch als er die Ankömmlinge erkannte, blieb er stehen. Er starrte Hermalinda an, dabei blieb ihm die Zunge in der trockenen Kehle kleben.
Lopez hat versagt! kochte er. Ich hätte die Kutsche selber überfallen sollen. In diesem Land gibt es nur Stümper und Nichtskönner – vom gewöhnlichen Dieb bis zum Soldaten!
Hermalinda entdeckte Luis auf der Plaza. Sie winkte heftig. Der Alcalde nickte herablassend und ging mit säuerlichem Lächeln auf sie zu.
Als er am Brunnen vorüberkam, nahm er einer Bäuerin den Becher weg und füllte ihn mit Wasser.
Der einzige Mann, der hier etwas kann, ist dieser Teufel von Zorro. Zu schade, daß wir Gegner sind. Wir wären ein schlagkräftiges Team, dachte er. Als er Hermalinda erreichte, zwang er sich zu lächeln und bot ihr freundlich den Becher Wasser an. Sie grapschte gierig danach und trank ihn in einem Zug aus. Jetzt muß ich mich auf meinen Plan mit Mendoza verlassen. Der Herr möge uns allen gnädig sein! sandte der Alcalde ein Stoßgebet zum Himmel.
»Hermalinda, teuerste Kusine. Du mußt müde sein von der langen Reise«, sagte Ramon höflich und beugte sich vor, um sie auf die Wange zu küssen. Sie wich feindselig zurück.
»Von wegen teuerste Kusine! Ich wurde von Banditen überfallen und gezwungen, durch die glühende Wüstenhitze zu Fuß hierher zu marschieren. Dabei mußte ich mir die Beleidigungen dieses …« sie warf Aragon einen abfälligen Blick zu, »… Klavierspielers gefallen lassen! Verhafte sofort die Verantwortlichen!« schrie sie in einem kindischen Wutanfall.
Ramon knirschte mit den Zähnen. Er bemerkte Mendoza, der seine Kusine voller Entsetzen anstarrte.
Und ich soll mich eine ganze Woche lang um diese Frau küm-

mern!, jammerte Mendoza in sich hinein und schluckte hart. Er sah, daß der Alcalde ihm zulächelte. Madre de Dios, seufzte er. Ich muß nett zu ihr sein, wenn ich will, daß mir der Alcalde meinen alten Posten zurückgibt. Er zog seine Jacke glatt, streckte unbehaglich den Hals und schickte sich an, sich vorzustellen. In diesem Moment rettete ihn Señor Aragon.

»Señorita, bitte führen Sie mich zur hiesigen Taverne. Ich brauche ein weiches Bett und möchte allein sein«, sagte der Pianist zu Victoria.

»Ich bin die Wirtin«, antwortete sie, »und meine Taverne ist gleich hier«, sie zeigte über die Plaza.

Ehe Aragon mit ihr wegging, wandte er sich an den Alcalde: »Ich weiß nicht, wer Sie sind, Sir, aber wenn diese Frau eine Verwandte von Ihnen ist, haben Sie mein tiefstes Mitgefühl.«

Ramon neigte leicht den Kopf und nahm Aragons Gefühlsbezeugung an. Er vermied Hermalindas Blick, aber er spürte, daß sie neben ihm vor Empörung fast platzte.

»Kommen Sie, Bolanos?« fragte Aragon.

Bolanos nickte und eilte hinter Victoria und Aragon her.

Der Alcalde wandte sich Hermalinda mit einem so schleimigen Lächeln zu, daß man damit ein Wagenrad hätte schmieren können. »Hermalinda, ich fürchte, meine zahlreichen Pflichten als Alcalde werden mir nicht soviel Zeit für dich lassen, wie ich gerne hätte ...« Er lächelte Mendoza an und winkte ihn herbei. Mendoza trat zögernd auf ihn zu, ein vorsichtiges Lächeln erschien auf seinem Gesicht. »Aber hier, das ist Don Jaime Mendoza. Er wird sich um dich kümmern, solange du hier bist. Jeder Wunsch von dir wird ihm ein Befehl sein.«

Hermalinda beäugte Mendoza. Sie lächelte ihn an und kehrte ihren weiblichen Charme hervor. »Oh, Luis, du hast mir nie gesagt, was für stattliche Männer du in deinem Pueblo hast.« Sie ließ die Lider klimpern, daß Mendoza von ihrem Augenaufschlag ganz aus der Fassung geriet.

Er verbeugte sich höflich vor ihr, schluckte trocken und sagte: »Darf ich Sie zu Ihrer Unterkunft bringen, Señorita?«
Sie nahm seinen Arm und schmiegte sich an ihn. »Führen Sie mich, Jaime. Und nennen Sie mich Malinda. Wir werden sehr gute Freunde werden, das kann ich Ihnen jetzt schon sagen.«
Mendoza warf Ramon einen argwöhnischen Blick zu, während er Hermalinda zu den Gästezimmern der Garnison führte. Der Alcalde grinste höchst befriedigt zurück.

Feinstes Mobiliar

»Es war mir ein großes Vergnügen«, sagte Bolanos, während er Don Alejandro heftig die Hand schüttelte.
»Das Vergnügen war ganz auf meiner Seite«, gab Don Alejandro zurück. »Eine unerwartete Gelegenheit, wieder einmal im Garten herumzuwerkeln und mit meiner Sammlung von Sukkulenten ein bißchen zu prahlen. Nichts hätte mir diesen Tag mehr verschönern können. Ich fühle mich geschmeichelt, daß Sie Victorias Anregung gefolgt und zu mir herausgeritten sind, besonders nach so einem anstrengenden Morgen. Sie müssen noch mit reinkommen und einen Schluck mit mir trinken.«
»Nein«, lehnte Bolanos ab, »ich habe mich schon genug aufgedrängt.«
»Ich bestehe darauf«, sagte Don Alejandro und schob den Botaniker in den Empfangssalon. Er machte Felipe ein Zeichen, frische Limonade für den Gast zu bringen.
»Darf ich?« fragte Bolanos und ging im Raum umher, um die Kunstgegenstände näher zu betrachten.
»Natürlich«, lächelte Don Alejandro.
Er folgte Bolanos durch den Raum und erzählte ihm die Geschichte einiger Kunstwerke aus seiner Sammlung. Als Felipe

eintrat und zwei Gläser randvoll gefüllt mit frisch gepreßtem Orangensaft brachte, erläuterte Alejandro gerade ein antikes Urnengefäß.
»... und das stammt aus der islamischen Periode im Goldenen Zeitalter Spaniens. Mir gefällt besonders das verschlungene Muster der Verzierungen ...« sagte Don Alejandro. »Ah, hier ist Felipe. Ich danke dir, mein Sohn.« Damit gab er Bolanos ein Glas und nahm selbst das andere. In diesem Moment trat Diego herein.
»Diego, das ist Andres Bolanos, ein berühmter Botaniker. Ich habe ihm meine Sukkulenten gezeigt«, sagte Don Alejandro stolz. »Du wirst es nie erraten, wer ihm von meiner Sammlung erzählt hat.« Diego sah seinen Vater fragend an, obwohl er ja die Antwort wußte. »Zorro!« klärte ihn Alejandro auf.
Diego lächelte »So?« und reichte Bolanos die Hand. »Ich freue mich, Sie kennenzulernen, Señor. Vater ist ein absoluter Fachmann für diese ausdauernden kleinen Fettpflanzengewächse, die der Trockenheit widerstehen. Leider gibt es wenig Leute, die er dafür gewinnen kann.«
»Ich bin sehr beeindruckt von den Pflanzen, aber nicht minder von Ihren Kunstschätzen hier. Wer hätte solche wertvollen Antiquitäten in dieser staubigen, hintersten Provinz hier vermutet?« lachte Bolanos.
Diego und Don Alejandro tauschten einen Blick.
»Hinterste Provinz«, lachte Diego leise und unterstrich damit Bolanos unbeabsichtigte Beleidigung.
»Verzeihen Sie, es tut mir schrecklich leid, ich wollte nicht ...« entschuldigte sich Bolanos, der seinen Fehler erkannte. Er setzte sein halb geleertes Glas ab. »Ich muß gehen. Sie haben mir sehr großzügig Ihre Zeit geschenkt. Nochmals vielen Dank, Don Alejandro«, sagte er und ging zur Tür hinaus.
»Er hat's eilig«, sagte Diego. »Habe ich irgend etwas Falsches gesagt?«

»Komischer Bursche«, antwortete Alejandro und schüttelte den Kopf, als er Bolanos wegreiten hörte.

Eine romantische Melodie von Mozart erfüllte den Salon in der de la Vega-Hacienda am Nachmittag. Honorio Aragon saß mit erhobenem Haupt am Klavier, voll in Anspruch genommen von seinem Spiel. Diego saß entspannt in seinem Armlehnsessel und ließ sich von der herrlichen Musik forttragen. Er bewunderte Aragons Technik, sein meisterliches Können auf den Tasten. Wie das leichte Spiel der Meereswellen am Strand an einem ruhigen Tag perlte die Musik aus Señor Aragons Fingern, die über die Elfenbeintasten huschten. Alejandro schloß die Augen und genoß den friedvollen Augenblick. Als Aragon die letzte bravouröse Passage beendet hatte, sprang Alejandro aus seinem Sessel auf und klatschte begeistert.

»Bravo!« rief er aus. Aragon nahm Alejandros Beifall mit einer leichten Neigung des Kopfes an.

»Wenn Ihr Angebot noch gilt, Don Alejandro, würde ich gerne Ihr Klavier für meine Vorstellung benutzen. Ich weiß, es wird schwierig sein, es in die Taverne zu bringen, aber ...«

»Sagen Sie nichts mehr, Señor Aragon«, strahlte dieser. »Wir freuen uns sehr über Ihre Entscheidung. Wir werden den Transport schon bewerkstelligen, nicht wahr, Diego?«

Felipe goß Alejandro Kaffee ein.

»Aber sicher«, stimmte Diego zu.

»Der Klang könnte etwas voller sein, das muß ich Ihnen sagen, aber es wird gehen«, meinte Aragon. »Wann können Sie es bringen, damit ich mich einspielen kann?«

»Würde Ihnen morgen früh passen?« fragte Alejandro.

»Ausgezeichnet, danke. Es ist eine Freude, in dieser abgelegenen Ecke im äußersten Westen des spanischen Königreiches auf noble spanische Gastlichkeit zu stoßen«, antwortete der Pianist.

Diego erhob sich, um neben Aragon ans Klavier zu treten, und lehnte den Kaffee ab, den Felipe ihm anbot. »Sie haben eine vollendete Technik. Ich habe immer Schwierigkeiten mit dieser Passage«, sagte er und zeigte auf einen Satz ein paar Blätter weiter vorn.

»Eine Frage der Geschicklichkeit, mein Sohn. Halten Sie die Handgelenke hoch, damit die Finger tanzen können. Biegen Sie die Finger und lassen Sie sie fliegen«, riet Aragon.

»Danke, ich werd's versuchen«, sagte Diego. Dann blätterte er einen Stapel Notenblätter durch und hielt Aragon ein Bündel hin, wobei er Felipe anwies, mit dem Kaffee in der Nähe der Noten vorsichtig zu sein. Felipe rollte vorwurfsvoll mit den Augen als wollte er sagen: »Das weiß ich selbst!«

»Wenn Sie so freundlich wären, Maestro«, bat Diego. »Ein neues Stück von Beethoven. Es ist letzte Woche erst aus Europa gekommen.«

Aragon überflog lächelnd die Noten und rückte den Hocker zurecht. Er begann, das Hauptthema der »Ode an die Freude« aus Beethovens Neunter Symphonie zu spielen.

Plötzlich hielt er abrupt inne, stand auf, wanderte im Salon umher und betrachtete eingehend die Kunstgegenstände und die Bücher. Diego sah ihm erstaunt zu.

Warum spielt er nicht weiter? Er inspiziert den Salon wie jemand von Scotland Yard. Was sucht er? dachte er. Wenn er weiße Handschuhe anhätte, würde er womöglich mit den Fingern über den Kaminsims fahren, um zu prüfen, ob Staub darauf liegt!

Schließlich wandte sich der Pianist zu Diego und Don Alejandro um. »Vergeben Sie mir, aber dieses Stück ist Teil meines Konzerts, ich habe es noch nie zuvor öffentlich gespielt. Ich möchte gänzlich unbelastet sein, wenn mein Genie sich darin erstmals entfaltet.«

Diego und Alejandro tauschten einen Blick, beide mußten über die Selbstüberhebung des Pianisten lächeln. Felipe goß den letzten Tropfen Kaffee in Aragons Tasse und verließ den Raum.

»Ich muß sagen, ich bin beeindruckt«, sagte Aragon und ließ

bewundernd den Blick schweifen. »Solche herrlichen Möbel und Kunstschätze. Ein unerwarteter Anblick hier, in der hintersten Provinz.«

Vater und Sohn blickten sich erneut belustigt an. Diego zog eine Augenbraue hoch und dachte: Noch so ein eingebildeter Spanier, der auf die Kolonien heruntersieht.

»Vielleicht darf ich die Herren einladen, mit mir heute in der Taverne zu Abend zu essen?« schlug Aragon vor.

»Ich muß leider noch einige schriftliche Dinge erledigen, die heute fertig werden müssen«, sagte Alejandro. »Aber wie ist es mit dir, Diego?«

»Es wäre mir ein Vergnügen, Señor Aragon«, antwortete Diego.

»Sagen wir, acht Uhr?« fragte der Pianist.

Diego nickte, in diesem Augenblick rumpelte ein Wagen vor die Hacienda, und es klopfte an die Tür. »Das wird Señorita Hermalinda sein.«

»Was will diese schreckliche Frau hier?« protestierte Aragon.

»Mein Sohn hat ein paar neue Kleidungsstücke bei ihr bestellt, sie ist eine sehr bekannte Schneiderin«, antwortete Alejandro.

Diego öffnete die Tür und Hermalinda rauschte herein, auf dem Kutschbock saß Jaime Mendoza. »Buenas tardes, Señores«, rief sie schon unter der Tür Alejandro und Diego zu. Als sie Honorio Aragon erblickte, gefror ihr Lächeln. »Haben Sie Ihr Klavier stimmen lassen?« fragte sie spöttisch.

Aragon runzelte die Stirn. »Also dann, bis zum Abendessen, Don Diego. Ich muß gehen, bevor mir der Appetit vergeht«, sagte er und ging zur Tür hinaus. »Oh, Don Jaime«, rief er aus. »Was für eine freudige Überraschung. Mein Beileid für die Begleitung, die Sie hierher bringen mußten. Hätten Sie nicht Lust, mir etwas die Gegend zu zeigen?«

Diego beobachtete belustigt Mendozas Reaktion, der sofort ganz lebhaft wurde. »Es wäre mir eine Ehre, Señor Aragon«, antwortete er.

»Sie sind jederzeit bei uns willkommen, Mendoza«, lud Diego ihn ein.
»Nein, vielen Dank, Don Diego«, lehnte dieser ab, erleichtert, daß er eine Ausrede hatte, um von Hermalinda wegzukommen.
»Felipe hat heute morgen süße Buñuelos gebacken«, versuchte Diego ihn zu locken und trat hinaus, um das Pferd zu streicheln.
Mendoza zögerte, aber dann schüttelte er den Kopf. Mit ruhiger Stimme sagte er. »Ich bin sicher, Sie haben Verständnis, Diego. Ich werde Señorita Ramon in zwei Stunden wieder abholen. Reicht die Zeit für Ihre Anprobe?«
»Ich denke, ja«, antwortete Diego und lächelte ihn verständnisvoll an. Leise ergänzte er: »Als Victoria mir die Dame heute morgen empfahl, erzählte sie mir, daß der Alcalde ihr von Hermalindas Fähigkeiten als Schneiderin vorgeschwärmt habe. Aber sie sagte mir auch, ich würde sie vielleicht ziemlich anstrengend finden.«
Mendoza rollte die Augen. »Und herrschsüchtig, Diego. Nicht nur ihr Wesen, ihre ganze Natur ist so ... so ... erdrückend!« und er gestikulierte, um mit den Händen ihre massive Statur anzudeuten.
»Ich habe noch nie so eine übermächtige Frau getroffen!« ergänzte Aragon, während er zu Mendoza auf den Wagen kletterte. »Rasch, lassen Sie uns von hier wegkommen!« Mendoza klatschte die Zügel auf die Pferderücken und schrie: »Vamos, Caballeros!«
Sie rollten aus dem Hof, eine wirbelnde Staubwolke hinter sich lassend, und Diego ging zurück ins Haus.
Das wird ein abwechslungsreicher Tag für unser Pueblo in der hintersten Provinz, dachte er und lächelte in sich hinein. Drinnen versuchte Hermalinda gerade, seinen Vater mit ihrem Charme zu bezaubern. »Ein unerträglicher Mann, dieser Aragon«, sagte sie und sah sich im Zimmer um. Sie schnappte erstaunt nach Luft und begann, umherzugehen. »Was für herrli-

che Möbel!« rief sie aus und befühlte das hochglanzpolierte Holz und die Brokatstoffe. »Und gediegene Silbersachen. Ich muß sagen, ich hätte so was nie vermutet in dieser hintersten Provinz.«
Zum dritten Mal sahen Diego und Alejandro einander an diesem Tag an. Langsam hatten sie die Überheblichkeit ihrer Gäste gegenüber Los Angeles satt.
»Sollen wir mit der Anprobe beginnen?« fragte Diego höflich.
»Sofort«, sagte Hermalinda, unfähig, ihre Augen und Hände von den Schätzen der de la Vegas zu lassen. Sie fuhr mit den Fingern über einen silbernen Degen, der an der Wand hing, und die schönen antiken Bilderrahmen aus Gold.

Ein pfeifender Dieb

An diesem Abend saß Diego in der Ecke der Taverne und trommelte mit den Fingern auf den Tisch. Alle paar Minuten sah er die Treppe hinauf zu den Gästezimmern. Als Victoria mit einigen Tellern Pollo con Mole vorbeiging, schüttelte sie den Kopf: »Tut mir leid, Diego«, sagte sie und zuckte mit den Schultern.
»Bist du sicher, daß er keine Nachricht für mich hinterlassen hat?« fragte er ungeduldig.
»Diego«, antwortete sie, »er ist heute nachmittag weggeritten, weil er zu euch auf die Hacienda wollte. Seitdem habe ich ihn nicht mehr gesehen. Weißt du«, sie klang etwas entnervt, »ich spioniere meinen Gästen nicht hinterher. Es tut mir leid, daß er dich warten läßt, aber es ist nicht meine Schuld.«
»Du hast ja recht, Victoria, entschuldige bitte«, erwiderte er, »Künstler sind eben launisch und unberechenbar.«
»Wirklich? Es überrascht mich, so was von dir zu hören, Diego«, sagte sie vorwurfsvoll. »Gerade du hast doch immer gesagt,

daß man die Leute nicht über einen Kamm scheren soll, sondern daß jeder Mensch einzeln beurteilt werden muß.«
»Wenn ein Mann etwas verspricht ...« begann er sie zu belehren.
»... muß er es auch halten. Sonst ist sein guter Ruf gefährdet. Sein Wort ist heilig. Es gibt nur zwei Dinge, die ein Mann nicht mit Geld kaufen kann – seinen guten Namen und seinen Ruf als Ehrenmann. Alle Caballeros wachsen mit diesem Bewußtsein auf«, ergänzte sie und schloß ab mit einer Schwingung des Armes über dem Kopf wie ein Flamencotänzer.
»Vermutlich habe ich dir das schon öfter gesagt, wie?« sagte Diego verdutzt.
Sie nickte. »Soll ich dir nicht lieber was zu essen bringen?«
»Doch, bitte. Das Hühnchen, das du hier vorbeiträgst, sieht verlockend aus«, antwortete Diego.
Mendoza tauchte aus seinem Zimmer neben der Küche auf. Er entdeckte Diego und Victoria in der Ecke und ging zu ihnen hin. Er beugte sich über die Teller in Victorias Händen. Seine Augen rollten vor Begeisterung, als er den Duft der dicken dunklen Mole-Soße einzog.
»Guten Abend, Mendoza. Wollen Sie sich nicht zu mir setzen und mit mir essen?« lächelte Diego.
»Ich dachte, Sie essen mit Señor Aragon«, antwortete Mendoza.
»Dachte ich auch«, antwortete Diego sarkastisch, »aber der Pianist scheint seine Pläne geändert zu haben. Sie waren doch heute nachmittag mit ihm zusammen. Wissen Sie, wohin er gegangen ist?«
Mendoza setzte sich mit dem Rücken zur Eingangstür der Taverne. »Nein. Nach unserer Spritztour hat er auf Ihrer Hacienda sein Pferd abgeholt. Seitdem habe ich ihn nicht wiedergesehen. Es tut mir leid, ich kann Ihnen nicht weiterhelfen.«

»Macht nichts«, Diego zuckte die Schultern. »Victoria, zweimal Hühnchen für Don Jaime und mich.«
»Muchas gracias, Don Diego. Ich könnte übrigens Ihre Hilfe gebrauchen, wenn es nicht zuviel verlangt ist«, sagte Mendoza.
»Überhaupt nicht. Um was geht es denn?« fragte Diego neugierig.
»Wenn Sie die Kusine des Alcalde auftauchen sehen, geben Sie mir sofort ein Zeichen, damit ich in mein Zimmer verschwinden kann. Ich habe sie zwar den ganzen Abend nicht gesehen, aber sie kreuzt sicher noch hier auf und sucht mich. Sagen Sie ihr einfach, ich würde mich nicht wohl fühlen.«
»So schlimm?« fragte Diego besorgt.
Mendoza nickte und rollte schmerzverzerrt die Augen. »Ich fühle mich wie in einem Spinnennetz gefangen. Sie ist so ... so ... einschnürend. Um Ihnen die Wahrheit zu sagen, Don Diego, ich glaube, dem Alcalde geht es genauso, er kann es nur nicht zugeben, weil sie ja seine Blutsverwandte ist.«
»Was Sie nicht sagen«, antwortete Diego belustigt.
»Ja, bestimmt«, schloß Mendoza flüsternd, »aber wenn ich sie eine Woche lang ertrage, gibt mir der Alcalde hoffentlich meinen alten Posten zurück.«
»Ach, deshalb«, sagte Diego und unterdrückte ein Lächeln. »Ich werde tun, was ich kann. Heißt das, daß Sie beschlossen haben, Don Emilios Angebot zum Kauf Ihres Besitzes anzunehmen?«
»Nicht ganz. Es ist einfach zu niedrig, und der Alcalde könnte wütend werden, wenn ich jetzt schon verkaufe. Ich habe noch Zeit bis morgen für meine Entscheidung. Ich werde versuchen, Don Emilio hinzuhalten, indem ich ihn bitte, mir mehr zu bieten. Wenn ich genügend Zeit herausschinde bis Hermalinda abreist, kann ich den Alcalde bei Laune halten.«
»Und was ist mit Ihrem Gespenst? Macht Emilio das nichts aus?« fragte Diego.

»Er meint, es würde ihn aufheitern«, sagte Mendoza. »Oh, Don Diego, ich bin in einer so verzwickten Lage.« Mendoza rieb sich die Stirn. »Mein Hirn ist nicht für so viele Überlegungen geschaffen. Ich kriege Kopfschmerzen davon. Wenn ich das Haus behalte, wird mich das Gespenst ein Leben lang plagen. Wenn ich es verkaufe, bin ich ein Dummkopf, weil ich so wenig Geld dafür genommen habe, und obendrein wird der Alcalde verärgert sein. Er wird mir nie meine alte Stellung wiedergeben. Was soll ich bloß tun?« stöhnte er.

»Es wäre hilfreich für Sie, wenn jemand herausfinden würde, was es mit dem Gespenst auf sich hat«, überlegte Diego.

»Würden Sie das tun, Diego?« flehte Mendoza.

»O nein, Mendoza«, antwortete Diego. »Ich habe gar keine Zeit dazu, meine Untersuchungen über alte Knochenfunde nehmen mich so in Anspruch. Es hat mich schon wertvolle Zeit gekostet, mit Aragon zu Abend zu essen, aber dieses Gespenst bei Ihnen, nun ...«

Er will es nicht zugeben, aber er hat Angst, dachte Mendoza, während er Diego ansah. Er würde vielleicht behaupten, Gespenster seien wissenschaftlich nicht zu erklären, aber wie kommt es, daß er immer nur bei Tag auf meine Hacienda kommt?

Diego ließ Mendoza bewußt im Zweifel, ob er nun tatsächlich Angst hatte oder nicht. Es ist besser für ihn, mich für einen gelehrten Feigling zu halten, als hinter mir Zorro zu vermuten, sagte er sich. Er blickte zu Victoria hinüber, die mit einem anderen Gast sprach. Und wenn heute nacht Zorro ausreitet, um das Gespenst von Don Portillo zu ertappen, wird Victoria denken, Diego sei nach Hause gegangen, weil er Honorio Aragon das verpaßte Abendessen übelgenommen hat.

Kurze Zeit später schob Diego seinen Teller weg. »Ich bekomme keinen Bissen mehr hinunter.«

Mendoza beäugte den übriggebliebenen Reis und die halb aufgegessene Tamale. Er aß weiter und genoß jeden Bissen. »Es schmeckt köstlich, nicht wahr?«

»Ja, sicher, aber ich werde nicht so schnell wieder die Einladung eines Künstlers annehmen«, bemerkte Diego in verletztem Ton. »Ich habe zwar auch gerne Ihre Gesellschaft genossen, trotzdem ist mir meine Zeit einfach zu kostbar. Ich stehe kurz vor einer wissenschaftlichen Entdeckung über die naturgeschichtliche Entwicklung dieser Gegend.«

»Oh, ich verstehe vollkommen, Don Diego«, antwortete Mendoza mit vollem Mund. In Wirklichkeit verstand er gar nichts. »Wer hätte gedacht, daß ein feiner Herr wie Señor Aragon so ...«

»... unhöflich und unzuverlässig ist«, ergänzte Diego. Er vergewisserte sich, daß Victoria seine Bemerkung mitgehört hatte, dann stand er auf und ging. »Buenas noches«, rief er und eilte davon.

Diego ritt auf Esperanza zur geheimen Höhle, verwandelte sich rasch in Zorro und ritt auf Tornado zu Mendozas Hacienda. Heute nacht werde ich herausfinden, was es mit dem Gespenst auf sich hat, dachte er. Morgen werde ich Mendoza berichten, dann muß er bei seiner Entscheidung, was er mit der Hacienda machen will, nur noch den Alcalde und dessen Kusine berücksichtigen. Sein nächster Gedanke erheiterte ihn. Mendoza und dem Pueblo täte ich allerdings einen größeren Gefallen, wenn ich das Gespenst für kurze Zeit vergessen und Hermalinda und Luis davonjagen würde!

Nachdem Zorro weggeritten und die Geheimtür wieder zugeschnappt war, fegte Felipe die Werkstatt sauber. Er war müde von dem arbeitsreichen Tag. Langsam füllte er Tornados Eimer mit Hafer, damit das Pferd seinen Hunger stillen konnte, wenn Zorro zurückkehrte. Er füllte den Wassereimer, denn Pferd und

Reiter wären sicher auch durstig nach ihrem nächtlichen Abenteuer. Er gähnte, während er arbeitete und kämpfte gegen seinen Wunsch an, sich auf dem frisch ausgebreiteten Heu einzurollen und zu schlafen.

Don Alejandro saß in der Bibliothek der Hacienda in seinem Armlehnsessel und las. Er wußte nicht, daß Felipe in der Höhle hinter dem Kamin noch heimlich arbeitete. Seine Augenlider wurden schwer. Er bewegte sich im Sessel, dann beugte er sich zur Seite, um die Lampe neben sich auszublasen. Sein Blick fiel auf das kleine Kupferstichportrait seiner verstorbenen Frau. Er seufzte: »Meine geliebte Rosa! Niemand wird je deinen Platz ausfüllen können.« Dann löschte er die Lampe und schlief ein.

Er begann, von einem Picknick mit Rosa in den ersten Tagen nach ihrer Ankunft in Los Angeles zu träumen. Er murmelte verliebt ihren Namen – wie jung sie war, wie schön und lebensfroh! Und sie arbeitete mit Begeisterung daran, ihnen in dem staubigen kleinen Pueblo eine neue Heimat zu schaffen. Sie hatte großen Mut bewiesen, als sie ihr elegantes Leben in Mexico City aufgab und ihrem Wunsch folgte, den Kindern der Indios Lesen und Schreiben beizubringen.

Die Eingangstür ging mit leisem Knarren sehr langsam auf. Eine große Gestalt schlich verstohlen herein und schloß die Tür hinter sich. Sie verhielt einen Augenblick und lauschte. Nachdem er sich vergewissert hatte, daß niemand mehr wach war, ging der Eindringling in die Bibliothek und zündete eine Kerze an. Seine Gestalt hob sich schwarz gegen die weißgetünchten Wände des Salons ab. Die flackernde Flamme ließ eine schwarze Kapuze erkennen, unter der sich das Gesicht des Fremden verbarg. Er hielt die Kerze hoch, um den Raum zu überblicken, dann blies er die Flamme aus.

Langsam und sorgfältig begann der Unbekannte, wertvolle Gegenstände im Zimmer einzusammeln. Vom Kaminsims nahm er einen der beiden Silberpokale und steckte ihn in einen Sack.

Der Pokal stieß gegen etwas – ein helles »kling« hallte durch die nächtliche Stille.
Don Alejandro regte sich. Der Dieb duckte sich still hinter einen Sessel. Alejandro öffnete die Augen.
»Diego?« rief er und stand verschlafen auf. Er machte einen Schritt auf die Tür zu. Der Fremde streckte lautlos den Arm aus, um nach dem zweiten Silberpokal zu greifen. Das Mondlicht fiel in den Salon, als Alejandro vorsichtig hereinkam.
»Diego, bist du das?« fragte er zögernd. »Felipe?«
Felipe sah wie immer zuerst durch das Guckloch hinaus, ehe er die Geheimtür im Kamin öffnete, um in die Bibliothek hinauszuschlüpfen. Als er hindurchspähte, trat plötzlich eine dunkle Gestalt hinter Don Alejandro aus dem Schatten und Krach! Felipe stockte der Atem. Der Eindringling hatte Alejandro mit dem Pokal niedergeschlagen.
Bis Felipe sich von seinem Schock erholte, steckte der Dieb flink noch eine ganze Reihe wertvoller Dinge ein. Als sein Sack voll war, verknotete er ihn oben und schulterte ihn. Während er zur Tür ging, pfiff er eine Melodie.
Felipe stürzte hinaus. Don Alejandro lag am Boden. Er kniete sich neben ihn und hob vorsichtig dessen Kopf hoch. Draußen hörte er ein schwaches Pfeifen. Er lief zur Vordertür, die weit offen stand. Felipe mußte hilflos zusehen, wie der Dieb in die Nacht hinausgaloppierte, immer noch dieselbe Melodie pfeifend. Felipe rannte zurück, um Don Alejandro zu helfen.

Klebriges Zeug

Während der pfeifende Bandit die de la Vega-Hacienda ausraubte, stampften Tornados Hufe über das weiche Gras des offenen Landes zu Mendozas Hacienda. Er verlangsamte seinen

Schritt, und Zorro glitt hinter dem Stall vom Sattel. Ein leichter Abendwind raschelte zwischen den lockeren Dachsparren des zugigen Gebäudes. Zorro huschte selbst wie ein gespenstischer Schatten an den leeren Pferdeboxen vorbei, bis er zu einer verschlossenen Box im hinteren Teil des Gebäudes kam. Als er über das Holztor klettern wollte, hörte er drinnen Pferdehufe scharren.

Er spähte über das Gatter, da stand eine weiße Stute. War das das Pferd des Gespensts? fragte sich Zorro. Das Pferd wieherte aufgeschreckt beim Anblick des Maskierten.

»Schhh, Mädchen«, sagte Zorro mit besänftigender Stimme und sprang neben ihr in die Box. »Ist schon gut. Ich will nur etwas auskundschaften, das ist alles. Ich tu dir nichts.« Er hob einen ihrer Hufe hoch und berührte ihn, eine schwarze, klebrige Masse blieb an seinen Fingern hängen. Vermutlich war es dasselbe, was er an Torres' Stiefelabdruck auf der Eingangstreppe entdeckt hatte: Teer.*

Zorro kletterte wieder über die Holztür zurück, wobei er scharf nachdachte. Über ihm im Gebälk schimmerte irgend etwas im Mondlicht, das durch das löchrige Dach fiel. Er kletterte an einem Balken hoch und fand auf dem Heuboden Brustpanzer und Helm des Gespensts.

Pferd und Kleidung habe ich also gefunden, jetzt fehlt nur noch der Geist selbst, dachte er. Und ich habe auch schon einen Verdacht, wo ich suchen muß.

Mit einem mächtigen Satz sprang er von hinten auf Tornados Sattel. Die nächtliche Brise im Rücken, flogen Roß und Reiter zu dem Ort, an dem Diego auf Mendozas Land die alten Knochen gefunden hatte. Als er in der felsigen Schlucht angekommen war, stieg er ab und ließ Tornado grasen. Er pausierte

* Es handelt sich um Erdteer, ein Rückstand, der sich an der Oberfläche von Erdölfeldern bildet.

einen Moment und spähte über das Land, um sein Vorgehen zu planen.
Unten, an einem leichten Abhang vor sich, entdeckte er Torres, der ein Faß in einen Planwagen lud. Es war gefüllt mit dickem, zähem Brei aus der Grube. Torres hatte sein Pferd in der Nähe festgebunden. Er ging zurück zu der schlickigen Grube, um noch ein Faß zu holen. Zorro schlich lautlos wie ein Indianer den Abhang hinunter hinter den Wagen.
Plötzlich erklang eine fürchterliche Stimme aus der Dunkelheit in die Nacht hinaus: »Torres! Du hast mit dunklen Mächten gespielt!«
Torres erstarrte mitten im Gehen, von entsetzlicher Angst gepackt. Blinzelnd versuchte er, in der Dunkelheit irgend etwas zu erkennen. Gefährliche Schatten lauerten in jeder Richtung. Die knorrigen Zweige der alten Eichen ragten gespenstisch in den Nachthimmel, aber er konnte niemand entdecken.
»Wer ... spricht da?« fragte er bebend.
»Der echte Geist von Don Portillo«, flüsterte die Stimme heiser.
Torres taumelte einen Schritt zurück, als hätte ihm jemand einen Schlag auf den Magen versetzt. Er schüttelte heftig den Kopf und rief: »Nein ... das kann nicht sein!« Aber während sein Blick hastig seine Umgebung absuchte, meldete sich sein schlechtes Gewissen.
»Du wagst es, meine Rolle zu spielen?« drohte die Stimme. »Du wagst es, Tote lächerlich zu machen? Dafür wirst du zahlen müssen!«
Torres fiel verängstigt auf die Knie. Er hielt die Hände schützend über Kopf und Nacken und zitterte. »Bitte nicht!« flehte er. »Ich werde alles tun, was du verlangst, wenn du mich verschonst!«
»Warum hast du dich als mein Geist verkleidet?« fragte die Stimme. »Sag die Wahrheit!«
»Ich wollte doch nur Mendoza, den neuen Besitzer der Hacien-

da, vertreiben«, stieß Torres hervor, »damit mein richtiger Herr, Don Emilio, das Gut kaufen kann!« Seine Augen suchten immer noch ununterbrochen die Umgebung ab. Da er nichts bemerken konnte, wurde er etwas ruhiger. Er zögerte und ließ die Arme kurz sinken, dann fragte er kleinlaut: »Läßt du mich jetzt laufen?«

»Der Geist von Don Portillo verzeiht dir ...«, verkündete die Stimme.

Doch plötzlich wurde neben Torres vom Wageninneren her ein riesiges »Z« in die Plane geschnitten. Der Diener sprang auf die Füße.

»... aber ich nicht!« schloß die geheimnisvolle Stimme.

Zorro sprang mit gezücktem Degen durch das »Z« aus seinem Versteck im Planwagen hervor.

»Du bist kein Geist!« rief Torres, ärgerlich auf sich selbst, weil Zorro ihn hereingelegt hatte.

»Und du, mein Freund, hast keine Chance, mir zu entkommen!« lachte Zorro.

Er umkreiste Torres mit gefährlichen Degenhieben. Sein Meisterdegen war sein stolzester Besitz, er hatte ihn von seinem spanischen Fechtmeister, Sir Edmund Kendall, geschenkt bekommen. Torres ging rückwärts zum Wagen und tappte hastig im Dunkeln nach seinem Degen. Endlich fühlte er den kalten Stahl in seiner Hand. Sofort fing er an, verzweifelt gegen seinen maskierten Angreifer loszuschlagen. Zorro duckte sich gewandt und wich dem Gegenangriff aus. Torres schwang wie eine wildgewordene Bestie die Klinge. Zorro wich bis zur Teergrube zurück, während er die Hiebe mit Leichtigkeit parierte. Torres versuchte, ihn durch Kreuzen der Klingen in die ungünstige Innenposition zu drängen. Die Spitze seines Degens flitzte über Zorros Körper in Brusthöhe in einer Quart von links.

Guter Schachzug, dachte Zorro. Wo hat Torres so Fechten gelernt? Er sollte mit unserem geschätzten Alcalde üben. Der ist ein miserabler Fechter. Aber so gerne ich jetzt einen guten Kampf genießen würde, ich muß mich wirklich um andere Dinge kümmern.

Zorro parierte geschickt mit einem Rundschlag und zwang Torres in die Verteidigung. Mit der Degenspitze zielte der Maskierte eine Sexte auf die rechte Brust von Torres und drängte ihn an den Rand der Teergrube.

»Bei ihrem Geständnis, Torres«, sagte Zorro, »haben Sie vergessen, warum Don Emilio solche Umwege geht, um an den Besitz zu kommen.« Mit einem Blick zu dem schwarzen Schlamm zeigte er auf Torres' Stiefel: »Vermutlich liegt der Grund dafür zu Ihren Füßen.«

Noch während er sprach, griff Zorro erneut an. »Teer!« sagte er und ließ Hieb auf Hieb gegen den Degen seines Gegners prasseln. »Ein wertvolles Material für unseren Pueblo.« Er beschrieb einen Halbkreis mit dem Degen, um die Klinge in eine andere Position zu bringen. »Schon immer konnte man ihn mit gutem Gewinn verkaufen ...« und ließ einen Doppelhieb auf die entgegengesetzte Seite von Torres' Degen folgen.

Der Diener stolperte, doch er hielt sich aufrecht. Er senkte seinen Degen, um ihn von Zorros Waffe freizubekommen, und griff dann mit einem geraden Stoß an. »Bis Don Emilio und ich das hier entdeckten!« schrie er, wirbelte im Halbkreis herum und hatte nun Zorro an den Rand der Teergrube verwiesen.

Gelassen streifte Zorro mit einem Froissement Torres' Klinge aus der Angriffslinie und drückte sie dann kräftig hinunter. »Mein Freund, Don Diego, wäre fasziniert von diesem Fundort. Er würde bestimmt viele alte Knochen für seine Untersuchungen hier finden.«

»Vielleicht wird Don Diego eines Tages auch deine Knochen hier finden!« schrie Torres und warf mit großem Kraftaufwand beide Arme hoch. Er sprang Zorro an, der diesem Vorstoß ge-

wandt seitlich auswich, so daß Torres aus dem Gleichgewicht geriet. Er fiel in den Teer, daß es klatschte.
Breitbeinig stellte sich Zorro an den Grubenrand, stemmte die Hände herausfordernd in die Hüften und ließ sein Cape im Wind flattern. »Nun sind Sie ja in Ihrem Element, Torres. Teer ist genauso schwarz wie die Seele von Gaunern wie Sie, die stehlen, was ihnen nicht gehört!«
Torres platschte wütend um sich und versuchte aufzustehen. Schwarzverklebt und geschlagen wollte er noch immer nicht klein beigeben. »Du bis zu spät dran, Zorro. Mendoza wird den Kaufvertrag heute nacht noch unterschreiben. In wenigen Minuten wird dieses Land Don Emilio gehören!«
Zorro zog Torres mit einem verärgerten Ruck am Kragen aus der Teergrube. »Was soll das heißen? Mendoza hat Zeit bis morgen mit seiner Entscheidung!«
»Don Emilio hat sich anders besonnen. Er will die Antwort heute abend. Er hat herausgefunden, daß Mendoza in der Taverne übernachtet und ist mit einigen seiner Männer in die Stadt geritten. Sie wollen – wie soll ich sagen?« grinste er heimtückisch, »– Mendoza überreden, den Vertrag zu unterzeichnen.«
»Darauf würde ich nicht wetten, Torres«, fauchte Zorro. »Kein Nachtgespenst kann so schnell reiten, wie wir das jetzt tun werden!«
Er hievte Torres auf dessen Pferd und band ihn am Sattel fest. Dann schlang er ein Führungsseil um das Zaumzeug des Pferdes und pfiff nach Tornado. Wie eine Sternschnuppe schoß aus der Dunkelheit Tornado auf sie zu und hielt direkt vor Torres an. Er bäumte sich hoch auf und schlug mit den Vorderhufen gefährlich nach dem Diener, als wolle er ihm drohen, falls er sich nicht füge.
Zorro sprang auf den Rücken seines Hengstes und gab ihm die Sporen, das Seil von Torres' Pferd hielt er fest in der Hand. Pfeilschnell galoppierten die beiden im Mondlicht dahin.

Zwei Meister des Degens

Eine gefährliche Spannung lag in der Luft, als Don Emilio auf den Kaufvertrag zeigte, der vor Mendoza auf dem Tisch lag. Drei kräftige, dunkelhäutige, unrasierte Männer in Lederjakken, fleckigen Hosen und schmutzverkrusteten Hüten schauten den beiden mit düsteren Mienen zu. Mendoza spürte, wie ihr feindseliger Blick seine Haut durchbohrte, während er geistesabwesend seine Finger über den Federkiel rauf und runter laufen ließ.

Don Emilio schlug mit der Faust auf den Tisch. »Unterschreiben Sie – jetzt!«

Mendoza sprang vom Stuhl auf, angstvoll die mörderischen Blicke in den Augen von Don Emilios Begleitern anstarrend. Er zögerte. »Aber Sie sagten doch, ich hätte Zeit bis morgen.«

»Warum noch warten? Sie bewohnen die Hacienda doch nicht mehr. Sie sind ausgezogen und haben Ihre Sachen alle mitgenommen. Sie haben in der Taverne ein Zimmer belegt. Was soll da ein Tag hin oder her?« herrschte Emilio ihn an.

»Er könnte über meine Karriere entscheiden«, wandte Mendoza zaghaft ein.

»Blödsinn«, höhnte Emilio.

»Und der Preis, den Sie mir bieten, Don Emilio«, Mendoza zögerte, »... ist wohl kaum angemessen.«

Emilio beugte sich über den Tisch, Auge in Auge mit Mendoza. »Würden Sie lieber in einer Hacienda wohnen, in der Sie jede Nacht um Ihr Leben fürchten müssen?« Auch die drei Gefolgsleute traten näher an den Tisch, und Mendoza spürte ihre wilden Blicke in seinem Nacken.

»Andererseits«, Mendoza schluckte laut, »ist es weit mehr als ich jemals als Sergeant verdient habe. Und es ist ein guter Preis, um ein Gespenst loszuwerden.«

Mendoza nahm die Feder in die Hand und wollte sie in das Tintenfaß tauchen. Zu seiner Verblüffung zerschnitt ein Peitschenknall die Spannung im Raum, und ihm flog die Feder aus den Fingern. Er sah auf und rieb sich das schmerzende Handgelenk. In der Tür stand Zorro mit der Peitsche in der Hand, neben ihm Torres, mit einem Seil gefesselt und von klebrigem Teer triefend.

»Hier ist Ihr Gespenst, Mendoza!« rief Zorro. »Und Sie wollen Ihre Hacienda an den Mann verkaufen, der ihn dazu angestiftet hat!«

»Glauben Sie diese Lügen nicht, Mendoza«, gab Emilio zurück. Auf ein leichtes Zeichen mit dem Kopf stürzten sich die finsteren Gesellen Don Emilios wie blutrünstige Hunde auf Zorro. Zorro zog seinen Degen: »Lügen, Don Emilio? Diese Klinge durchbohrt jede Lüge – und die Lügner dazu!«

Unbeholfen ahmte Mendoza Zorro nach. »Und diese auch«, schrie er und zog schwerfällig seinen Degen.

Mendoza ging auf Don Emilios Männer los, seine Plumpheit wirkte komisch neben Zorros gewandten Bewegungen. Er stolperte vorwärts, weil ihm die leere Degenscheide zwischen die Beine geriet. Er schwankte, fing sich jedoch und duckte sich hinter einen Tisch, genau in dem Augenblick, als ein Hocker angeflogen kam, der seinen Kopf treffen sollte. Er krachte an die Wand hinter ihm und zersplitterte. Mendoza schluckte und sprang unbeholfen auf die Füße.

»Keine Angst, Zorro«, versprach er tapfer, »mit mir an der Seite kann Sie niemand schlagen!« Und er schwang seinen Degen gegen Emilios Männer.

Zorro warf Victoria, die sich in eine Ecke gekauert hatte, ein belustigtes Lächeln zu. Mendoza fuchtelte wild mit dem Degen in der Luft herum, was ihn jedoch nur selbst aus dem Gleichgewicht brachte. Er glitt aus und fiel auf einen Stapel Weinfäßchen. Die kleinen Fässer rollten über den Boden und mähten zwei der schmutzigen Kerle um. Als sie zu Boden gingen, nutzte

Zorro die Gelegenheit, warf ein Seil um die beiden, zog es fest und verschnürte sie.
Victoria eilte zu Mendoza und half ihm auf die Füße. Er schüttelte den Kopf, um klar zu werden, dann griff er wieder an, diesmal Don Emilio. Aber er verfehlte sein Ziel und stieß statt dessen gegen einen Tisch. Der Tisch jedoch brachte den dritten Helfer Don Emilios aus dem Gleichgewicht. Wieder griff Zorro ein, schlug dem Angreifer die Klinge aus der Hand und fesselte auch dessen Körper mit einem Seil.
Nun war nur noch Don Emilio da, um zu fechten. Er sah Mendoza an. »Sie Dummkopf! Ich hätte Sie gleich am ersten Abend in der Hacienda töten sollen!«
Wütend ging er auf Mendoza los. Dieser wich zurück, er fürchtete um sein Leben. Zorro sprang auf die Bartheke und griff im Sprung nach dem Kronleuchter. In weitem Bogen schwang er auf Emilio zu, den er aus dem Flug mit den Füßen umstieß. Emilio wurde von dem Stoß weit zurückgeschleudert. Zorro ließ den Kronleuchter los und landete leichten Fußes auf dem Holzboden. Er warf sein flatterndes Cape über die Schulter zurück.
»Mendoza ist kein Dummkopf, Don Emilio«, verkündete Zorro. »Aber Sie sind kein Ehrenmann, sondern ein Dieb!« Damit sprang er auf Emilio los und setzte ihm unerbittlich mit dem Degen zu.
Ein wahres Trommelfeuer von Degenhieben begann, Toledo Klingen schlugen aufeinander, durchschnitten die Luft, parierten den Stoß des anderen. Zorro führte seine geraden Degenstöße mit kraftvollen, weiten Sprüngen nach vorn aus. Emilio war völlig überrumpelt. Er packte seinen Degen mit beiden Händen und versuchte, Zorros heißblütigen Ansturm abzuwehren. Er war bald erschöpft, und seine Arme wurden vom Gewicht des Degens schwer. Er ließ seine Abwehr einen Augenblick sinken. Genau auf diese Öffnung wartete Zorro. Er schlug Emilio den Degen aus der Hand und umschlang auch ihn mit einem Seil.

Nun hatte er alle vier Männer gefesselt. Er verknotete die Seile fest.
Mendoza plusterte sich auf wie ein Truthahn. Er gratulierte Zorro mit einem herzhaften Schlag auf den Rücken, dann sah er Don Emilio scharf in die Augen. »Das sollte Sie lehren, Don Emilio, niemals wieder den Degen mit mir zu kreuzen!«
Aber Emilio erwiderte seinen Blick mit solch wildem Funkeln, daß der ehemalige Sergeant erschrocken zurückfuhr.
Zorro lächelte belustigt in sich hinein. »Gut gesagt, mein edler Waffenbruder!« erwiderte er und gab Mendoza den Klaps auf den Rücken zurück.
Hermalinda platzte durch die Taverntür herein und verfing sich im bunten Vorhang, der am Eingang drapiert war. »Don Jaime, Don Jaime, sind Sie in Ordnung?« rief sie. Sie lief zu ihm hin, strich ihm die Haare aus der Stirn und bürstete mit der Hand seine Jacke ab. »Ich war besorgt, weil Corporal Gomez mir sagte, Sie seien in Schwierigkeiten. Ich habe Sie den ganzen Abend überall gesucht.«
Mendoza faßte sich, er sah unbehaglich um sich. Alle Augen in der Taverne ruhten auf ihm. Er legte ihre Hand auf seinen Arm und tätschelte sie besänftigend. »Alles ist wunderbar. Heute abend bin nämlich ich der Held«, sagte er prahlerisch. »Ohne meine Hilfe wäre Zorro mit Don Emilio und seinen Männern nicht fertig geworden.«
»Zorro!« kreischte sie. »Sie müssen diesen Banditen verhaften!« Empört sah sie in die Runde und erhaschte gerade noch einen Blick von Zorro, der in leisen großen Sätzen die Treppe hoch sprang.
»Adios, amigos!« rief er.
»Nun ist er weg!« rief sie aus und zeigte nach oben. »Jemand muß ihn aufhalten!«
»Warum denn? Er hat nichts Böses getan«, protestierte Mendoza. »Er hat diese Männer davon abgehalten ...« er sah Emilio

und die gefesselten Kerle an, »mir mein Land wegzunehmen.«
»Ihre Hacienda, mein Lieber? Dieses wertvolle Stück Grundbesitz südlich der Stadt«, schrie sie. Sie trat vor die gefesselten Männer und schlug mit ihrer Handtasche auf sie ein. Mendozas Körper bebte bei jedem Schlag. Danach kehrte sie befriedigt zu Mendoza zurück und schmiegte sich an ihn. »Luis hat mir so viel von Ihrer Hacienda erzählt. Sie benötigt die Hand einer Frau. Sie müssen mich morgen mit dorthin nehmen.«
Mendoza wand sich, er schickte einen hilfesuchenden Blick in die Runde. Victoria erbarmte sich.
»Don Jaime, wollten Sie nicht Francisco und mich zu den Schießübungen begleiten?« fragte sie.
»Ja, genau, das wollte ich«, antwortete Mendoza erleichtert. In seinen Augen blitzte ein stilles »Dankeschön« für Victoria.
»Das klingt aufregend«, jubelte Hermalinda. »Ich sehe schrecklich gerne zu, wenn Männer ihre Schießkünste vorführen. Und hinterher zeigen Sie mir Ihre Hacienda, nicht wahr, mein Lieber?«
Mendoza rollte die Augen zum Himmel.
Victoria unterdrückte ein Grinsen. Na ja, dachte sie, versucht habe ich es zumindest.

Der Dieb schlägt noch einmal zu

Eine prickelnde, nervöse Spannung erfaßte Zorro, als er die Höhle betrat. Normalerweise schlief Felipe auf dem Strohhaufen neben Tornados Platz, wenn der Maskierte nachts unterwegs war. Zu Anfang hatte Zorro versucht, ihn davon abzubringen, denn er war der Meinung, Felipe sollte nachts in seinem Bett schlafen. Doch seine Bitten schienen auf taube Ohren zu stoßen. Sein treuer Gehilfe schlief im Stroh. Auch heute dachte

Zorro, der junge Mann erwartete ihn in der Höhle, begierig auf die neuesten Erlebnisse, die er dann ganz frisch zu hören bekam. Doch Felipe war nirgends zu sehen. Die Geheimkammer war gefegt, für Tornado war alles bereitgestellt, aber etwas stimmte nicht. Zorro schlüpfte so schnell er konnte wieder in Diegos Kleider und spähte durch das Guckloch in die Bibliothek. Er sah Felipe, der Don Alejandro auf das Sofa gelegt hatte und ihm ein Kissen hinter den Kopf schob.

Was ist passiert? fragte er sich besorgt. Warum spiele ich den tapferen Zorro, anstatt hier zu sein und meinen alten Vater zu beschützen? Ein starkes Schuldgefühl kam in Diego auf.

Er wußte, er konnte jetzt nicht durch die Geheimtür im Kamin hinausstürzen. Er eilte durch die Höhle und gab im Vorbeilaufen Tornado einen Klaps auf die Hinterbacke. Der Hengst hörte auf, Hafer zu kauen und wollte ihm folgen. »Nein, jetzt nicht Tornado«, sagte Diego, »ich muß nach meinem Vater sehen.«

Er bahnte sich einen Weg durch das dichte Gestrüpp in der Schlucht hinter der Hacienda und kletterte am felsigen Abhang hoch, wo er hinter den Ställen herauskam. Er hielt einen Augenblick an, um Atem zu schöpfen, bevor er durch die Vordertür ins Haus stürmte.

»Du wirst es nicht glauben, Vater«, rief Diego unbekümmert durch die Räume, »aber Aragon hat mich versetzt. Er ist gar nicht zum Abendessen erschienen ...«

Diego blieb ruckartig stehen, als er Don Alejandro auf dem Sofa liegen sah. Felipe warf ihm einen besorgten Blick zu, während er Don Alejandro den Rücken stützte, damit er sich aufrichten konnte.

»Vater!« rief Diego aus. »Was ist passiert?«

»Wir sind beraubt worden«, antwortete Alejandro und hielt sich den Kopf. Er verzerrte das Gesicht, während er sich aufsetzte.

»Wer hat das getan?« fragte Diego.

»Wenn ich den Gauner gesehen hätte, wäre ich ihm jetzt bestimmt auf den Fersen«, brauste Alejandro auf, »und würde nicht hier herumsitzen wie – autsch!« Sein Ärger verursachte ihm Kopfschmerzen. Er stöhnte und stand vorsichtig auf.
Diego eilte an seine Seite, Felipe blieb an der anderen.
»Ich gehe zu Bett«, murmelte Alejandro enttäuscht und blieb an einem leeren Regal stehen. Bedauernd sagte er zu Diego: »Der Dieb hat das Portrait von deiner Mutter mitgenommen, das mit dem Goldrahmen! Wenn ich den zu fassen bekomme, dann …« er fuhr sich wieder an den Kopf und schwankte, noch immer leicht benommen. Felipe und Diego geleiteten ihn behutsam in sein Zimmer.
Felipe versuchte eifrig, Diegos Aufmerksamkeit zu erregen, indem er zum Klavier hinnickte. Sobald sie Alejandro ins Bett gebracht und bequem gebettet hatten, zog Felipe Diego in den Salon.
»Was ist, Felipe?« wollte Diego wissen. Aufgeregt fuhren die Hände des jungen Mannes durch die Luft. »Du hast etwas gesehen?« Felipe schüttelte heftig den Kopf und zeigte auf seine Ohren. »Gehört? Ach so, deshalb konntest du es meinem Vater nicht sagen!«
Felipe zog Diego ans Klavier, spielte ein paar Töne und spitzte dann die Lippen, um Pfeifen anzudeuten.
»Was hast du gehört?« fragte Diego neugierig. »Den Dieb?« Felipe nickte lebhaft und fuhr mit seiner Pantomime fort. »Pfeifst du?« Wieder nickte Felipe. »Der Dieb hat gepfiffen!« sagte Diego ungläubig.
Er wandte sich vom Klavier weg und dachte über diesen unerwarteten Hinweis nach. Doch Felipe sprang vor ihn hin und bedeutete ihm, daß er noch mehr wußte. »Was noch? Sag bloß, du weißt, was er gepfiffen hat?«
Felipe zeigte erregt auf die Notenblätter. Diego sah erstaunt zu, wie Felipe das Papier durchblätterte, bis er fand, was er suchte.

Er legte es auf den Notenständer. Diego betrachtete verwundert die Noten, setzte sich nieder und spielte die »Ode an die Freude«. Felipe war entzückt, er klatschte und zeigte immer wieder mit dem Finger darauf.
»Das hat er gepfiffen«, sagte Diego, »diese Melodie?« und Felipe nickte wieder und wieder. »Aha! Wir werden den pfeifenden Dieb finden, und zwar ehe er noch einmal zuschlagen kann.«

»Feierabend, Pedro«, sagte Victoria und schob den letzten Gast zur Tür hinaus. Mendoza kam gerade zur Taverne zurück. Ein bekümmerter Blick trübte sein Gesicht. »Haben Sie Hermalinda gut in ihr Zimmer in der Garnison gebracht?« fragte Victoria und hielt ihm die Tür auf, um ihn eintreten zu lassen.
Mendoza nickte. »Schon vor ein paar Stunden, Señorita«, antwortete er und rieb sich gedankenverloren die Wange.
»Warum machen Sie dann so ein betrübtes Gesicht? Freuen Sie sich doch, daß Sie sie erst morgen wiedersehen müssen!« lachte Victoria.
»Ich bin draußen vor dem Pueblo spazierengegangen und habe versucht, über mich und meine Angelegenheiten nachzudenken«, erklärte Mendoza.
»Aber das mit dem Verkauf ist doch erledigt«, wand Victoria ein, »dank Zorro.«
»Im Augenblick, ja. Zumindest muß ich nicht an diesen Halsabschneider Emilio verkaufen. Aber da ist immer noch der Alcalde«, klagte Mendoza.
»Sie könnten heute nacht in Ihre Hacienda zurückgehen, Mendoza, es gibt doch jetzt kein Gespenst mehr«, meinte sie.
»Nein, Señorita. Gespenst oder nicht, ich fühle mich in diesem großen Haus allein nicht wohl. Es ist für eine Familie gebaut, es muß mit Kinderlachen erfüllt werden. Wenn ich verheiratet wäre, ja, dann …« sagte Mendoza sehnsüchtig. »Aber ich glaube, Maria wird gar nicht mehr mit mir reden, nach-

dem sie gesehen hat, wie Hermalinda mich heute abend küßte.« Victoria legte die Hand auf ihren Mund, damit Mendoza ihr Lachen nicht sehen konnte. »Ach, deshalb haben Sie sich vorhin die Wange gerieben. Sie armer Mann. Ich glaube, Sie sollten jetzt wirklich zu Bett gehen.« Sie führte ihn zu seiner Zimmertür hinter der Küche. »Morgen früh sieht alles wieder besser aus, glauben Sie mir.«

»Vielleicht ist es mir bestimmt, Junggeselle zu bleiben. Frauen verwirren mich ...« jammerte er, während sie die Tür hinter ihm schloß.

Victoria machte noch wie jede Nacht die Taverne sauber. Normalerweise brauchte sie eine Stunde dazu, nachdem der letzte Gast gegangen war. Während sie die gespülten Gläser ins Regal hinter der Bartheke stellte, schlich eine schwarze Gestalt durch die Küche. Victoria glaubte, etwas zu hören. Sie hielt kurz inne und lauschte, doch als sie nichts bemerken konnte, arbeitete sie weiter. Heimlich schlug der Dieb zu. So geschickt wie ein Viehtreiber ein Kalb mit dem Lasso einfängt und fesselt, band er Victoria an einem Pfosten fest. Sie schimpfte und stampfte mit den Füßen, um Mendoza aufzuwecken, aber der Dieb hielt ihr den Mund zu und knebelte sie. Ihr Wehren war vergebens, denn Mendoza schlief tief und fest, kein Geräusch auf Erden konnte mit seinem durchdringend lauten Schnarchen mithalten.

Victoria wand sich, um das Seil um ihre Handgelenke etwas zu lockern. Ihre Augen schossen wütende Blitze, doch sie mußte zusehen, wie der Eindringling mit der Kapuze aus der Kasse hinter der Bartheke alle Pesos nahm. Dann trat er hinter Victoria, nahm ihr das silberne Armband ab, löste das goldene Medaillon von ihrem Hals und verschwand wieder durch die Küche, wobei er unverschämt zum Abschied winkte und die »Ode an die Freude« pfiff. Victoria kochte vor Wut.

Kurze Zeit später erhaschte der Alcalde den flüchtigen Schimmer einer schwarzen Gestalt hinter sich, bevor ein dumpfer Aufschlag von Metall schwer seinen Hinterkopf traf. Er fiel von seinem Schreibtischstuhl zu Boden, wo er die ganze Nacht bewußtlos liegenblieb. Der Dieb zog Ramons goldene Uhr aus dessen Westentasche und stahl sein ganzes Geld aus dem Safe, dabei pfiff er ständig Beethovens Melodie vor sich hin.

Erschöpft ließ Victoria sich an dem Pfosten, an den sie gebunden war, zu Boden gleiten, und schlief zusammengekauert ein. Die Nacht verstrich. Ehe der Hahn den Tagesanbruch verkündete, wachte Mendoza auf. Durch lange Jahre beim Militär an frühes Aufstehen gewöhnt, paßten sich seine Augen den grauen Farben des heraufdämmernden Morgens an. Er drehte sich herum, streckte sich wohlig und genoß es, daß er keinen Dienst antreten mußte. Obwohl er versuchte, weiterzuschlafen, gelang es ihm nicht. Gedanken an Hermalinda, den Alcalde und Maria wirbelten in seinem Kopf herum.
Er setzte sich auf, zog die Stiefel an und öffnete seine Zimmertür. Er ging zur Küche, um sich einen Topf starken Kaffees zu kochen, dabei stolperte er fast über Victoria, die am Boden um den Pfosten gerollt friedlich schlief. »Guten Morgen, Victoria«, sagte er geistesabwesend. Er ging zwei Schritt weiter auf die Küche zu und erstarrte. Er bemerkte die leere Kasse, die nicht weit von Victoria am Boden lag.
Ein Diebstahl! dachte er. Direkt vor meiner Nase!
Er kniete sich neben Victoria, band ihre Handgelenke los und nahm ihr den Knebel aus dem Mund. Sie kam zu sich und setzte sich auf. »Sind Sie verletzt, Señorita?« fragte er.
Victoria streckte sich und rieb ihren Nacken. Sie runzelte die Stirn. »Nein, ich glaube nicht, Mendoza, nur steif von der Nacht am Boden. In Ihrem Gefängnis war es bequemer.«
»Sagen Sie mir, an was Sie sich erinnern können. Ich werde

den Dieb finden, wer und wo er auch sein mag«, versprach er.
»Er war groß und schwarz verkleidet«, antwortete Victoria. »Das ist alles, was ich weiß, doch, halt – etwas Komisches: er pfiff eine hübsche Melodie.«
»Ein Dieb, der pfeift?« sagte Mendoza.
»Vielleicht ein räuberisches Gespenst«, sagte sie schlagfertig.
»Schluß mit den Gespenstern!« rief Mendoza aus, den schon wieder das Grausen überkommen wollte. »Eines habe ich gerade los! Kommen Sie, Victoria«, und er half ihr hoch. »Ich werde uns einen starken Kaffee machen. Ich glaube, der Ausritt mit Francisco wird für uns beide heute ein Segen sein – Ihnen wird die frische Luft guttun, und ich werde mal auf andere Gedanken kommen.«
»Ich muß den Diebstahl dem Alcalde melden«, protestierte Victoria.
»Nach dem Kaffee«, besänftigte sie Mendoza. »Während Sie sich dann umziehen, werde ich ihm Bericht erstatten.«
Victoria drückte seinen Arm. »Vielen Dank, Mendoza. Sie sind wirklich ein Freund.«

Der Alcalde taumelte benommen an seinen Schreibtisch und rieb sich den Hinterkopf. Ausgeraubt! dachte er wütend. Bestohlen bis auf den letzten Peso von einem schwarzgekleideten Dieb mit Kapuze! Soweit hat es Zorro noch nie getrieben. Er schlug mit der flachen Hand auf den Schreibtisch. Aber nun reicht's endgültig. Diesmal kriege ich ihn, und wenn es meine letzte Tat wird!
»Gomez!« brüllte er.
Der kleine Korporal stürzte herein und rieb sich den Schlaf aus den Augen.
»Zorro hat mich ausgeraubt. Alle Männer sofort bereithalten. Sie werden ihn unverzüglich suchen!« befahl er und setzte sich,

benommen von seiner Kopfwunde. Als er aufzustehen versuchte, drehte sich der ganze Raum um ihn. Er setzte sich wieder hin. Gomez trat an seine Seite.
»Kann ich Ihnen etwas bringen, mi Alcalde?« fragte der Korporal. »Ein nasses, kaltes Tuch?«
»Bringen Sie mir Zorro, sonst nichts!« murmelte dieser und hielt sich mit beiden Händen den Kopf.

Eine neue Komposition

Am nächsten Morgen ging Diego auf Zehenspitzen ins Zimmer seines Vaters. Er seufzte leise und erleichtert, als er Alejandro friedlich schlafen sah. Felipe war im Sessel neben dem Bett eingeschlummert. »Schlaft weiter«, flüsterte Diego, »ihr verdient beide eure Ruhe heute morgen. Ich muß ans Werk.«
Er ging geradewegs zum Klavier und begann zu komponieren. Eine Stunde später kam Felipe mit dem Kaffee herein. Er beugte sich neugierig über Diegos Schulter und sah prüfend auf das Werk.
»Was ich schreibe?« sagte Diego für Felipe. »Ein kleines Stück mit dem Titel ›Das Ende des pfeifenden Diebes‹.« Nach einem letzten Akkord legte er die Feder weg. »So – fertig!«
Diego fügte das Notenblatt zwischen den Seiten der Partitur ein. »Alles, was wir jetzt erreichen müssen, ist, daß Señor Aragon dieses Stück morgen abend bei seinem Konzert spielt.«
»Keine Chance«, bedeutete Felipe skeptisch mit Zeichen.
»Ja, ich weiß«, antwortete Diego, »Aragon ist ein eigensinniger Mensch, aber ich werde dir sagen, wie du ihn dazu kriegst.«
Felipe zeigte sehr erstaunt auf sich selbst. »Warum ich?« gestikulierte er.
»Weil ich nicht zum Konzert gehe«, erklärte Diego mit einem li-

stigen Lächeln. »Weißt du, ich war so eingeschnappt gestern, weil Aragon einfach nicht zum Abendessen erschien, daß ich jetzt nicht noch einmal bereit bin, meine wichtige Arbeit seinetwegen zu unterbrechen«, lachte er. »Statt dessen kann Zorro hingehen, und wenn mein Plan gelingt, was ich hoffe, werden wir den pfeifenden Dieb entlarven.« Er klatschte mit der flachen Hand leicht auf die Partitur und legte sie dann bedeutungsvoll in Felipes Arme. »Nun bist du dafür zuständig, Felipe. Paß gut darauf auf.« Der junge Mann nickte ernst, und Diego erläuterte ihm seinen Plan.

Die Sonne schien durch die Spitzenvorhänge in Victorias Zimmer und tauchte den Raum in goldenes Licht. Sie steckte sich ein paar Blüten ins Haar und summte vor sich hin, während sie sich für den Ausritt mit Francisco fertig machte. Die warme Sonne besserte ihre Stimmung auf, und der Ärger verflog ein wenig. Ihre Handgelenke schmerzten noch etwas von der Fessel, die sie die ganze Nacht getragen hatte. Sie schüttelte ihr Haar mit den Händen auf und massierte sich die steifen Handgelenke, während sie ihr Aussehen ein letztes Mal im Spiegel überprüfte. Sie glättete eine Falte aus dem Kragen ihrer hellgelben Bluse, die mit dem goldenen Sonnenlicht im Raum wetteiferte.

Zorro, heute hast du das Nachsehen, dachte sie ausgelassen, ich werde dich eifersüchtig machen. Doch dann schüttelte sie den Kopf. Nein, ich kann dir nichts vormachen. Wenn du mir in die Augen schaust, weißt du, was ich empfinde. Es ist ja nichts Schlimmes, von einem Picknick mit dir zu träumen, nur wir zwei, ganz allein …

Sie band die dunkelblaue Schärpe um ihre Taille noch etwas fester, dann drehte sie sich wie ein junges Mädchen um sich selbst und kicherte vergnügt, als ihr hellblauer Leinenrock sie umflog. Ich bin gespannt, was der Alcalde wegen des Diebes unter-

nimmt, dachte sie, während sie ihr Zimmer verließ und in die Küche der Taverne ging. Maria rollte auf dem langen Tisch gerade Tortillas aus. Victoria umarmte ihre Helferin herzlich. »Haben Sie heute morgen Mendoza gesehen, Señorita?« fragte Maria zaghaft.
»Ja«, antwortete Victoria ermunternd, »er ist zum Alcalde rübergegangen, um ...«
»Victoria Escalante!« rief eine laute Stimme durch die Eingangstür der Taverne.
Victoria runzelte die Stirn. Der Alcalde! Nun werden wir ja sehen, was er gegen diesen gespenstischen Dieb unternimmt.
»Entschuldige, Maria«, sagte sie. »Ich bin gleich wieder da. Und mach dir keine Gedanken über Mendoza. Er spielt nur den höflichen Begleiter für die Kusine des Alcalde, solange sie sich hier aufhält. Du weißt, was er für eine treue Seele ist. Er konnte nicht nein sagen, als Ramon ihn bat, sich um sie zu kümmern. Wer weiß, was unser geschätzter Alcalde seiner Hermalinda erzählt hat. Vielleicht, daß Jaime ein wohlhabender und gebildeter Caballero ist«, sagte sie augenzwinkernd, »und nicht dieser gutmütige Tolpatsch, den wir so mögen!«
Maria lächelte dankbar, und Victoria schritt herausfordernd in den Gastraum hinaus. Sie tat, als hätte sie die unhöfliche Begrüßung des Alcalde überhört und fragte ihn geradeheraus: »Was beabsichtigen Sie zu unternehmen, um den Dieb, der mich heute nacht bestohlen hat, zu fassen?«
»Meine Männer sind schon seit Tagesanbruch unterwegs. Sie haben die Anweisung, nicht ohne den Dieb zurückzukehren. Dieser maskierte Bandit wird mich und meine Stadt nie mehr, nie mehr belästigen! Ich will Zorro hängen sehen!« tobte er.
»Zorro!« Victoria schnappte nach Luft. »Es war nicht Zorro!«
»Und die Beschreibung, die Sie Mendoza gegeben haben?« erwiderte er. »Groß, schwarz gekleidet ...«
»Aber Zorro würde niemals ...« protestierte sie.

»Wissen Sie einen anderen Verdächtigen?« fragte er scharf.
Victoria stockte, während ihre Gedanken durcheinanderpurzelten.
Wo war Aragon vergangene Nacht? Warum hatte er Diego versetzt? Was war mit Señor Bolanos? War es nicht verdächtig, daß ein Botaniker aus Spanien eine so weite Reise nach Kalifornien unternahm, nur um sich Pflanzen anzusehen? Was wußte man wirklich von diesen Männern? Und was wußte man eigentlich über Ramons Kusine Hermalinda? – Victoria äußerte alle diese Bedenken gegenüber dem Alcalde.
Er wies zwar alle Argumente barsch zurück, aber sie gaben ihm doch zu denken.
War ich zu schnell? überlegte er, ist der Dieb unter uns und lacht über mich, weil ich annehme, es sei Zorro? Hat er sich schwarz verkleidet, um mich in die Irre zu führen?
Victoria ging jedoch so weit, auf Hermalindas unbekannte Vergangenheit anzuspielen. Der Alcalde fühlte sich in seiner Ehre gekränkt und herrschte sie an: »Meine Kusine ist über jeden Verdacht erhaben. Hermalinda mag zwar vieles sein, aber sie ist eine RAMON, und die Ramons sind keine armseligen Diebe!«
Nein, nur gewissenlose, überhebliche Regierungsbeamte, die ihr Amt dazu nutzen, die Menschen mit unrechtmäßig erhobenen Steuern auszubeuten. Komisch, wie all das ergaunerte Geld schließlich in Ihren Taschen landet, Luis Ramon! Diese Worte gingen Victoria im Kopf herum, und sie starrte den Alcalde an. Er wich ihrem eindringlichen Blick aus.
Ramon rang sich ein Lächeln ab, als er Mendoza mit Hermalinda am Arm die Taverne betreten sah. »Oh, liebe Kusine, wie hübsch du heute morgen aussiehst!« sagte er. »Was für ein schöner Hut. Willst du heute die Sonne genießen?«
»Ganz recht, Luis, mein Guter. Don Jaime begleitet mich zu einer Schießvorführung, und dann zeigt er mir seine Hacienda«,

erklärte sie wichtigtuerisch. Mendoza zappelte unruhig unter ihrer Fuchtel.
»Nun, es ist ein herrlicher Morgen. Ich hoffe, der Dieb, der heute nacht die Taverne und mein Büro ausraubte, wird euch nicht belästigen.«
»Ein Dieb!« rief Hermalinda aus und preßte Mendozas Arm.
»Aber, aber, keine Angst«, beruhigte Ramon seine Kusine. »Mein ehemaliger Sergeant ist doch bei dir, er wird dich beschützen, meine Liebe.« Mendoza schluckte unwohl, als Maria aus der Küche kam. Hermalinda sah ihn verliebt an. Maria betrachtete ihn sehr zurückhaltend, während sie mit einer Platte Tortillas und Fleisch an ihm vorüber zu einem Gast ging. Er warf ihr einen flehenden Blick zu.
»Ich habe Francisco vor ein paar Minuten mit seinem Wagen in die Stadt hereinfahren sehen, Señorita«, stammelte er zu Victoria hin. »Wenn Sie fertig sind, können wir sofort aufbrechen.«
»Ich sehe, hier gibt es für mich nichts mehr zu tun«, antwortete Victoria abrupt, nahm ihr Umschlagtuch vom Haken vor der Küchentür und rauschte am Alcalde vorbei.

Francisco unterhielt seine Mitfahrer mit frechen Liedchen, während sie auf ein kleines Wäldchen aus Zwergeichen am Rio de Los Angeles zufuhren. Im Schatten der Bäume hielt er den Wagen an. Eine leichte Brise spielte in den Blättern und legte das weiche Frühlingsgras in sanfte Wellen. Es sah aus wie hellgrüner Samt, über den jemand leicht mit der Hand gebürstet hatte.
Francisco bot Victoria galant seinen Arm, als sie aus dem Wagen stieg. Mendoza dagegen kam ins Schwitzen, als er Hermalinda heraushelfen wollte. Ihre ohnehin große Gestalt war durch mehrere steife Unterröcke noch sperriger geworden.

Francisco holte eine Decke aus dem Wagen und reichte Victoria den Picknickkorb. Sie suchten eine grasbewachsene Stelle am Flußufer, auf der sie die Decke ausbreiteten. Victoria setzte den Korb in die Mitte.

»Es ist schrecklich heiß!« beklagte sich Hermalinda und fächelte sich heftig Luft zu. Wie ein schwerer Wasserbüffel, der sich in den Fluß plumpsen läßt, sank sie auf die Decke nieder. Mendoza ging ans Ufer und überhörte ihr Gejammer. Er spritzte sich das frische, klare Wasser ins Gesicht und nahm einen tiefen Schluck.

Francisco war eifrig damit beschäftigt, in verschiedenen Entfernungen von ihrer Lagerstelle Holzstücke als Ziele aufzustellen. Victoria freute sich, allein zu sein. Sie streifte die Schuhe ab und glitt behende in das seichte Flußbett. Sie folgte dem Wasser um eine leichte Biegung herum, der weiche Schlamm kitzelte zwischen ihren Zehen. Plötzlich stieß sie gegen schwarze Stiefel und schnappte nach Luft. Fast wäre sie umgefallen, doch zwei starke Arme fingen sie auf. Ihr Herz flatterte, das Blut schoß ihr ins Gesicht.

»Wir müssen uns nicht bis in alle Ewigkeit immer nur heimlich treffen, Señorita«, sagte Zorro. »Eines Tages werden auch wir ein solches Picknick genießen, wir beide ganz allein, Victoria, wenn ich mich ohne Maskierung zeigen kann. Werden Sie auf mich warten?«

»Ich habe es versprochen, und ich werde es wiederholen, Zorro«, sagte Victoria leise. »Sie sind meine große Liebe. Ich werde warten.« Sie trat näher, um ihn zu umarmen, doch er zog sich hinter einen Baum zurück.

»Es kommt jemand. Genießen Sie diesen schönen Tag«, flüsterte er. »Ich werde als Ihr Beschützer in der Nähe sein, falls Sie mich brauchen.« Er warf ihr einen Kuß durch die Luft zu.

»Victoria, ich bin soweit«, rief Francisco und streckte ihr die Hand entgegen.

Sie sah über die Schulter nach Zorro zurück, doch er war verschwunden. »Ich auch«, antwortete sie voll Sehnsucht nach ihrer heimlichen Liebe.
Hermalinda klatschte jedesmal heftig, wenn Francisco eines seiner Ziele traf. Mendoza half ihm, die Pistolen neu zu laden. Victoria lächelte anerkennend, als er auch die entfernteren Holzstücke sicher traf.
Francisco stolzierte mit geschwellter Brust zur Picknickdecke zurück. Hermalinda drängte Mendoza, es auch zu versuchen. Er lehnte es ab, doch sie beharrte darauf. Francisco bot sich an, die Pistolen für ihn zu laden und die Ziele neu aufzustellen. Widerstrebend ließ sich Mendoza überreden.
Er schoß auf das erste Ziel, doch erst beim vierten traf er den Rand. »Bei der militärischen Ausbildung ist Fechten viel wichtiger. Die großen Schlachten werden mit dem Degen gewonnen, das erfordert Mut und Nerven so dick wie Stahlklingen. So werden die echten Siege errungen. Einen Gegner aus so weiter Entfernung zu erschießen, das ist nicht ehrenvoll«, verteidigte er sein mangelndes Können.
»Aber den Schußwaffen gehört die Zukunft«, wandte Francisco ein und fuchtelte mit der Pistole durch die Luft. »Ein Mann mit einer ruhigen Hand und einem guten Auge wird bald mehr wert sein als ein starker Arm und ein Degen.«
»Nein, nein«, protestierte Mendoza. »Jede siegreiche Armee hat bis jetzt mit der Klinge gekämpft ...«
»Meine Herren, bitte«, unterbrach Victoria. »Ob Sie nun die nächste Schlacht mit Pistolen oder Degen gewinnen, das Wichtigste ist, daß Sie stark genug sind. Und das werden Sie nur, wenn Sie sich jetzt dem vorzüglichen Essen zuwenden, das Francisco uns hier bietet.«
»Ganz richtig«, stimmte Francisco erfreut zu. »Nach Ihnen, Mendoza.«
Nachdem sie ihr üppiges Mahl genossen hatten, lehnten sich

Francisco und Mendoza mit dem Rücken gegeneinander an einen Baumstamm.
Was gibt es Schöneres auf der Welt, dachte Mendoza, als nach einem köstlichen Essen vom leisen Plätschern eines Baches in ein Mittagsschläfchen gelullt zu werden. Das ist das wahre Leben!
»Jaime, mein Lieber! Wie wär's mit einem kleinen Spaziergang am Ufer entlang?« flötete Hermalinda schmeichlerisch.
»Bloß das nicht!« stöhnte Mendoza in sich hinein. Er tat, als wäre er schon tief eingeschlafen, wie Francisco. Und bald schnarchte er tatsächlich laut.
Hermalinda schien das nicht zu stören. Sie aß weiter, bis kein Krümel in Franciscos üppigem Picknickkorb mehr übrig war. Dann reinigte sie sich die Zähne mit einem Grashalm.
Victoria streckte sich der Länge nach auf dem Rücken im kühlen Gras aus. Sie legte die Hände unter den Kopf und sah in die Baumwipfel hinauf. Zwischen den Blättern blitzten goldene Sonnenstrahlen hindurch. Zorro beobachtete sie aus einiger Entfernung von einem Baum herunter.
Ein Bild des Friedens, und mittendrin meine wunderschöne Victoria, dachte er. Und Francisco Ortega muß ich Abbitte tun. Er hat sich wirklich wie ein Gentleman verhalten. Niemand kann ihm vorwerfen, er hätte versucht, das Herz der schönen Dame zu erobern.
Victoria erwachte erfrischt von ihrem Nickerchen. Die Schatten auf dem Wasser waren länger geworden. Sie rüttelte sanft Francisco wach. »Es war ein schöner Nachmittag, aber er geht schnell vorbei. Das Klavier der de la Vegas wird heute für Señor Aragons morgiges Konzert in die Taverne gebracht, und ich muß nun wirklich Maria helfen, die Gerichte für den Abend vorzubereiten.«
Er beugte sich nah zu ihr. »Wenn Sie mich heiraten würden, hätten Sie dafür Bedienstete. Sie müßten nie mehr selbst kochen.«

»Ja«, lachte Victoria, »und ich würde faul und fett, während ich mich als reiche Herrin aufspielte.« Sie flüsterte: »Möchten Sie, daß ich aussehe wie ...« und blickte zu Hermalinda. Francisco schüttelte den Kopf. »Danke, nett von Ihnen, Francisco. Ich heirate nur aus Liebe, nicht, um Diener zu haben. Und außerdem koche ich sehr gerne.«
Enttäuscht weckte Francisco den schnarchenden Mendoza. Sie verstauten alles im Wagen und halfen den Damen hinauf.
Hermalinda lächelte süß und flüsterte Don Jaime zu: »Darauf habe ich den ganzen Tag gewartet, lieber Jaime: daß ich endlich Ihre schöne Hacienda sehe.«
Mendoza zuckte mit den Schultern. »Da gibt's nicht viel zu sehen, verstehen Sie. Nach Don Portillos Tod war sie lange Zeit unbewohnt, und danach hatten wir ein Gespenst, das wir erst neulich losgeworden sind.«
»Ach, Sie übertreiben sicher«, erwiderte Hermalinda und spähte durch die Bäume nach Osten zu dem zerklüfteten San-Gabriel-Gebirge hinüber. Die Pferde trotteten langsam dahin.

Zorro streckte seine langen Glieder. Der warme Nachmittag, das Vogelgezwitscher in den Zweigen um ihn her hatten ihn schläfrig gemacht, und er war etwas eingedöst. Das Rumpeln von Franciscos Wagen, der nun wegfuhr, machte ihn wach. Die hohe Astgabel, auf der er saß, gab nach, und er schwankte bedenklich. Aber er hielt sich sofort an einem anderen Ast fest und schwang sich hinunter auf den Boden.
Ein schöner Bewacher, tadelte Zorro sich selbst, der bei der Arbeit einschläft! Nicht besser als Mendoza oder Gomez! Wenn der Alcalde klug wäre, würde er Zorro tagsüber Fallen stellen. Ein üppiges Mahl an einem warmen Nachmittag wäre ein sicheres Rezept: Zorro macht ein Nickerchen, und schon ist es um seine nächtliche Schlauheit und Unbesiegbarkeit geschehen. Man könnte ihn einfangen und dem Henker übergeben!

Er pfiff nach Tornado, der sich ein gutes Stück entfernt hatte und sich an zarten Frühlingsgräsern gütlich tat. Zorro mußte rasch nach Hause zurück, deshalb spornte er Tornado an. Vater wird mich schon suchen, wir müssen ja das Klavier in die Taverne bringen, dachte er.

»Diego!« rief Don Alejandro in den Salon. »Warum ist er nie da, wenn ich ihn brauche?« murmelte er vor sich hin. »Diego!« rief er den Flur hinab. »Wahrscheinlich sitzt er wieder über seinen alten Knochen aus den Teergruben. Er hat versprochen, mir zu helfen. Er wollte nicht, daß ich mich anstrenge, nach dem Schlag auf meinen Kopf.« Alejandro berührte leicht seine Beule und stöhnte etwas; sie tat ziemlich weh. Steif drehte er sich um und ging zur Küche. »Felipe, hast du Diego gesehen? Wir müssen den Pritschenwagen fertig machen ...«
Diego kam mit einem Strauß frisch abgeschnittener Rosen in die Küche geschlendert. »Vater, meinst du nicht, es ist Zeit, das Klavier auf den Weg zu bringen?«
»Genau das meine ich! Wo hast du gesteckt? Ich habe im ganzen Haus nach dir gesucht«, sagte Alejandro vorwurfsvoll.
Diego zog den Duft der Rosen tief ein. »Draußen, diesen Strauß holen«, er lächelte. »Was für ein wunderschönes Vermächtnis uns Mutter da hinterlassen hat. Sie blühen immer noch so schön wie früher, findest du nicht?«
Alejandro hielt inne und strich behutsam über die zarten, pfirsichfarbenen Blütenblätter. »Ja – können wir jetzt gehen? Victoria wird sich schon Gedanken machen, ob etwas passiert ist. Der ganze Pueblo zählt auf uns.«
»Ich tu das dir zuliebe, Vater, weil ich weiß, wie sehr du dich auf das Konzert freust. Wenn es nur um Señor Aragon ginge, der könnte von mir aus auch auf dem Spinett des Alcalde spielen«, antwortete Diego immer noch gekränkt. »Ich glaube, ich werde gar nicht zum Konzert gehen.«

»Das kann nicht dein Ernst sein!« rief Alejandro aus. »Er hat doch nur deine Einladung vergessen, du lieber Himmel!«
»Es war genau die Zeit, in der man dich beraubt hat, Vater«, sagte Diego. »Ist dir das nicht aufgefallen? Vielleicht ist Mister Aragon unser Dieb. Er war ziemlich beeindruckt von unseren Kunstgegenständen hier, wenn du dich erinnerst.«
»Die Kusine des Alcalde auch, und Bolanes ebenfalls«, erwiderte Alejandro und schüttelte ungläubig den Kopf. »Wirklich, Diego. Der Mann ist ein bekannter Konzertpianist!«
»Na ja, vielleicht schnüffle ich während des Konzerts ein wenig herum«, erklärte Diego, »oder ich bleibe einfach zu Hause und arbeite an meinen Nachforschungen weiter.«
»Arbeite lieber, mein Sohn. Wer weiß, wohin dich solche Schnüffeleien führen können«, wandte Alejandro ein. »Du könntest ohne daß du dich recht versiehst in Schwierigkeiten geraten.«
»Vater, ich bin überrascht. Du predigst mir doch andauernd, ich soll die Dinge selbst in die Hand nehmen und nicht dasitzen und warten, bis etwas passiert«, sagte Diego. »Wenn ich mich nun entschließe, etwas zu unternehmen, dann versuchst du, mich davon abzubringen.«
»Nun – weil man da gewisse Dinge beherrschen sollte«, antwortete Alejandro ausweichend.
»Du meinst fechten, nicht wahr? Ich kann das schon«, sagte Diego und spielte ungeschickt Schattenfechten. »Ich habe bei Sir Edmund gelernt ...«
»Aber du hast deine Ausbildung nicht abgeschlossen«, warf Alejandro ein. »Es war mein Fehler, dich von der Universität zurückzuholen, ehe du deine Studien beendet hattest. Deshalb fühle ich mich für deine Sicherheit verantwortlich. Bitte überlasse die Detektivarbeit ...«
»... lieber einem, der fechten kann – wie Zorro!« gab Diego verletzt zurück. Er ließ seinen Vater absichtlich einen gekränkten Tonfall heraushören und senkte den Kopf.

Alejandro klopfte seinem Sohn mitfühlend auf die Schulter. »Komm, laß uns das Klavier holen. Ich weiß, es ist schwer für dich, zu wissen, daß Victoria Zorro liebt, aber es gibt noch andere schöne junge Damen hier im Süden.«
»Vater!« sagte Diego äußerst gereizt. »Ich will nichts mehr hören über Victoria. Sie ist eine hübsche Wirtin, mehr nicht. Nicht zu vergleichen mit den schönen Damen in Madrid ...« Überhaupt nicht zu vergleichen, dachte er, weder mit Theresa, noch Juanita, nicht einmal Magdalena kann Victorias Schönheit und Charakterstärke das Wasser reichen. Eines Tages wirst du alles erfahren, Vater.
Alejandro überging Diegos Ausbruch, er wollte die Gedanken, die ihm durch den Kopf gingen, nicht verraten: Es gab also jemand in Madrid! Ging die Sache zu Ende, weil ich Diego zurückholte? Vielleicht werde ich doch noch Großvater? Doch dann wechselte er das Thema.
»Aber nun zum Klavier: wo ist Felipe?« fragte er und öffnete die Eingangstür.
In diesem Augenblick fuhr Felipe mit dem Pritschenwagen am Tor vor.

Der Dieb wird entlarvt

»Ich hätte nie gedacht, daß Sie das Klavier durch die Tür kriegen!« rief Mendoza aus, der am Eingang der Taverne Hof hielt, als wäre er der Zeremonienmeister für das Konzert.
»Wir haben alle Tische aus dem Weg geräumt, die Füße abmontiert, das Klavier auf die Seite gekippt und dann zu viert hineingetragen«, erzählte er stolz, wedelte mit den Händen in der Luft herum und zeigte auf das wieder zusammenmontierte Klavier mitten im Raum.

Die Zuhörer begleiteten Mendozas lebhafte Schilderung mit vielen Ooohs und Aaahs. Dazwischen huschte Victoria kreuz und quer durch den Raum und begrüßte ihre Gäste. Sie sprudelte vor Freude und Stolz, weil das erste kulturelle Ereignis dieses Jahres in ihrer Taverne stattfand.

Felipe beendete die letzten Vorbereitungen für Zorros Ritt, indem er Tornados Sattel festzurrte. Ehe er durch die Geheimtür ins Haus zurückschlüpfte, hielt Diego ihn an.
»Du hast die Noten?« fragte er. Felipe nickte etwas entnervt.
»Nur, um ganz sicher zu gehen«, entschuldigte sich Diego. »Ich will nicht, daß uns der pfeifende Dieb heute entkommt. Es muß wie ein Unfall aussehen.«
Felipe machte ungeduldig Zeichen, daß Don Alejandro bereits nach ihm suchen werde. »Dann beeil dich, mein Freund«, sagte Diego und spähte durchs Guckloch in die Bibliothek. »Die Luft ist rein.« Er drückte auf den Knopf, um die Geheimtür zu öffnen, und Felipe eilte hinaus.

Francisco betrat die Taverne mit einem prachtvollen Strauß Hyazinthen und Geranien. »Für die strahlende Gastgeberin«, sagte er und reichte sie Victoria mit immer noch hoffnungsvollem Blick.
»Muchas gracias, Francisco. Sie sind wunderschön«, nahm Victoria dankend an.
O Francisco, dachte sie im stillen, ich weiß, was du empfindest. Hyazinthen – ich werde auf dich warten, und Geranien – ich werde dich immer lieben. Den gleichen Strauß könnte ich auch Zorro schenken.
Sie führte ihren Verehrer durch den überfüllten Raum zu den Stuhlreihen um das Klavier.
»Möchten Sie nicht Platz nehmen? Das Konzert wird bald beginnen.«

Auch Jorge und Gabriella, die beiden Jungvermählten, kamen zum Konzert, und die Leute schauten dem glücklichen Paar bewundernd nach. Hinter ihnen folgte der Alcalde, der die Bewunderung des Publikums auf sich selbst bezog.

»Mendoza«, wandte er sich an diesen, »ich hörte, daß Sie sich sehr um meine Kusine bemüht haben.«

»Danke, mi Alcalde«, antwortete Mendoza und beschloß, die gute Laune von Ramon zu nutzen: »Haben Sie über mein Anliegen nachgedacht, Señor?«

Der Alcalde hielt inne und strich seinen Schnurrbart glatt, während er den Blick über die Zuhörer gleiten ließ. »Ja, ich habe darüber nachgedacht.«

»Und ...?« Mendoza wartete ungeduldig auf eine Antwort. Ob er mir jetzt meinen Posten zurückgibt?

Das Gesicht des Alcalde hellte sich auf, als er Gabriella allein stehen sah. Jorge war von ein paar Caballeros in ein angeregtes Gespräch über Pferderennen verwickelt worden. Ramon konnte eine solch strahlende Schönheit nicht allein herumstehen lassen. Beschwingt bewegte er sich an Mendoza vorbei, dessen Frage überhörend, und tänzelte geradewegs auf Gabriella zu.

Bestürzt hastete Mendoza ihm nach. »Alcalde ...« rief er und quetschte sich zwischen ein paar Frauen hindurch. Er hörte, wie sie gegenseitig ihre Kleider bewunderten.

»Heute abend noch werden wir den Schurken hinter Gitter bringen«, rühmte sich der Alcalde und klatschte mit der Faust in die Handfläche. »Erst die Pflicht, dann das Vergnügen – das ist die Last meines Amtes!«

»Alcalde ... wegen meines Postens ...« unterbrach Mendoza und trat neben ihn.

»Unterbrechen Sie mich nicht, Mendoza«, fuhr ihn Ramon an, »sehen Sie nicht, daß ich beschäftigt bin?« Damit wandte er ihm den Rücken zu, um Gabriella sein bewährtes, charmantes

Lächeln zu schenken. Sie lächelte zurück, dann sah sie sich suchend nach Jorge um.

Mendoza schlich leise jammernd wie ein junger Hund, dem sein Herr einen Fußtritt versetzt hatte, zurück zur Tür.

Dort traf er auf Victoria. »Ich glaube, Sie können es jetzt nicht mehr länger hinauszögern«, flüsterte sie.

Er zuckte mit den Schultern. »Wenn ich muß ...« antwortete er und machte sich widerstrebend zum Gästetrakt der Garnison auf, dabei kam er an Gomez vorbei.

»Ich habe eine Nachricht für den Alcalde«, sagte der Korporal, »über Zorro.«

Als Mendoza kurze Zeit später mit Hermalinda am Arm zurückkam, mußten sie wieder an Gomez vorbei. Diesmal stand der Alcalde mißmutig neben ihm.

»Zorro ist der einzige Grund, aus dem Sie mich bei einem Fest stören dürfen, Corporal«, belehrte ihn Ramon, »besonders, wenn ich mitten in einer Unterhaltung mit einer schönen Dame stecke!« Er nickte Hermalinda beim Vorübergehen zu: »Ein ganz entzückendes Kleid.«

Sie nickte gnädig zurück und glättete den Rock ihres cremefarbenen, bodenlangen Satinkleides, dessen Oberteil mit Spitzen besetzt war. Sie füllte das Kleid reichlich aus.

Mendoza machte ein belämmertes Gesicht, während Hermalinda ihm aufdringlich die Ohren vollschwatzte.

»Buenas noches, Señorita Hermalinda«, grüßte Don Alejandro verbindlich, als sie die Taverne betraten.

»Wo ist denn Ihr hübscher Sohn?« fragte sie.

»Ich bedaure, aber er kann nicht kommen«, gab Alejandro Auskunft.

»Er kommt nicht?« fragte Hermalinda fassungslos. »Wo ich ihm doch so einen wunderschönen Anzug geschneidert habe? Feinste schottische Wolle, die Jacke körpernah geschnitten, um seine breiten Schultern zu betonen, in der Taille schmal ...

ich hatte gehofft, er würde meine Schneiderkunst hier vorführen.«

»Diego hat eine starke Abneigung gegen Aragon, nachdem dieser ihn zum Essen eingeladen hat und dann einfach nicht erschienen ist. Er würde das Konzert nicht ertragen«, erklärte Victoria.

»So, also hat Aragon noch einen anständigen Bürger gekränkt«, stellte Hermalinda fest. »Der Mann ist ein ungehobelter Kerl.«

»Er ist Künstler«, gab Victoria zurück, »aber auch Diego kann sehr launisch sein.«

»Wenn wir von launisch reden«, unterbrach Don Alejandro, um das Thema zu wechseln, »wo ist der Alcalde?«

»Er ist vor einer Weile in sein Büro gegangen, um auf Nachricht über Zorros Gefangennahme zu warten«, berichtete Mendoza. »Er ist wie besessen. Der Dieb hat ihm vierhundert Pesos und seine goldene Uhr gestohlen!« Mendoza bemerkte, daß Hermalinda überrascht die Hand vor den Mund schlug. »Seine Männer kämmen die ganze Gegend nach dem pfeifenden Dieb durch. Der Alcalde ist überzeugt, daß Zorro und der Dieb ein und derselbe sind.«

Ach, wäre ich doch jetzt einer dieser Soldaten, wünschte sich Mendoza sehnsüchtig, während er sprach.

»Luis wird ihn niemals kriegen«, sagte Hermalinda mit Überzeugung. »Dieser Zorro ist zu gerissen.«

»Zorro?« fragte Victoria verwundert. »Er kann es nicht gewesen sein!«

»Victoria hat recht. Der Alcalde ist entschieden auf der falschen Spur«, ergänzte Alejandro.

»Dann ist es wirklich ein gerissener Dieb«, sagte Hermalinda überheblich.

»Wenn ich diesen Gauner in die Finger kriege«, fauchte Alejandro, »ich würde ihn etwas anderes pfeifen lehren. Er hat einige meiner wertvollsten Stücke gestohlen!«

»Mir auch«, fügte Victoria hinzu. Dann entdeckte sie Aragon oben auf der Galerie, der sich anschickte, die Treppe herunterzusteigen. »Oh ... das Konzert kann beginnen!«
Sie gingen zu ihren Plätzen, dabei kamen sie an Bolanos vorbei. Alejandro grüßte den Botaniker sehr herzlich.
»Ich wünsche Ihnen viel Vergnügen beim Konzert, Señor«, sagte er zu ihm.
»Gleichfalls«, antwortete Bolanos. »Darf ich Sie hinterher zu einem Gläschen einladen?«
»Es wird mir eine Ehre sein«, nahm Alejandro an.
Hermalinda preßte Mendozas Arm fest an sich und setzte sich neben ihn. Sie beugte sich herüber, um ihm ins Ohr zu flüstern, dabei drängte sie ihn mit ihrem Umfang fast auf den Sitz des Nachbarn.
»Unser letzter gemeinsamer Abend, Jaime«, flötete sie. »Lassen Sie uns das Beste daraus machen. Lassen Sie uns gefährlich leben.«
»Wenn Sie meinen, Señorita«, sagte Mendoza, der sich nichts darunter vorstellen konnte. »Nach der Vorstellung werden wir ...« plötzlich hatte er eine zündende Idee: »... uns eine Extraportion Bohnen mit Speck gönnen.«
Während Hermalinda Mendoza verständnislos anstarrte, waren alle anderen Augen auf die Treppe gerichtet. Aragon stieg herab, in einem tadellos geschnittenen schwarzen Frack mit langen Schößen. Seine Noten hatte er fest unter den Arm geklemmt.

Draußen balancierte Zorro vorsichtig auf Tornados Sattel. Sein Cape hing in eleganten Falten über seinen Rücken hinab. Er streckte sich, bis er den Rahmen eines offenstehenden Fensters im ersten Stock zu fassen bekam. Mühelos zog er sich hinauf und stand in einem der Gästezimmer; es war zufällig das von Aragon. Er beugte sich aus dem Fenster und winkte Tornado weg. Dann öffnete er die Tür einen Spalt und sah zu, wie Aragon die Treppe hinabstieg. Da alle Augen auf den Pianisten gerichtet waren, konnte Zorro unbemerkt aus dem Zimmer schleichen und sich in einer dunklen Ecke auf dem Treppenabsatz verbergen. Dort beobachtete er den Ablauf seines Planes.

Felipe eilte mit dem Klavierstuhl des Maestros aus der Küche herein. Er stellte ihn sorgfältig vor den Tasten auf und entfernte sich rückwärts, als Aragon ans Klavier trat. Der Applaus begann leise und schwoll zu einem Brausen an. Felipe drückte heimlich hinter seinem Rücken die Daumen.

Aragon nahm steif den Applaus entgegen, dann legte er sich die Noten zurecht. Er erblickte Hermalinda in der ersten Reihe. Sie blähte die Nasenflügel und warf hochmütig den Kopf zurück. Aragon drehte sich rasch um und warf seine Frackschöße hinter sich in die Luft. Dann ließ er sich majestätisch auf dem Klavierhocker nieder.

KRACH! Der Hocker brach unter ihm zusammen, und Aragon schlug unsanft am Boden auf. Im Fallen riß er die Arme hoch und traf die Notenblätter, die durch die Luft flogen.

Hermalinda brach in schallendes Gelächter aus. Sie fand es köstlich, daß sich der Pianist vor versammeltem Publikum blamierte.

Felipe eilte zu Hilfe. Während Mendoza den Pianisten auf die Füße zog, sammelte Felipe die verstreuten Notenblätter vom Boden auf. Heimlich schmuggelte er Don Diegos neue Komposition unter die ersten Seiten. Ein neuer Hocker wurde gebracht.

Aragon verlor nicht die Fassung. Er setzte sich auf den neuen Hocker, zuerst vorsichtig, um zu prüfen, ob dieser sein Gewicht aushielt. Dann sah er Hermalinda an, die immer noch lachte. Sein Blick war durchbohrend wie ein Dolch aus Stahl. Doch sie grinste nur höhnisch zurück.

Der Pianist prüfte seine Noten, dann wartete er, bis unter dem schnatternden Publikum Ruhe eingekehrt war und Hermalinda nicht mehr lachte. Schließlich dehnte er seine Finger über den Tasten und lockerte sie, dann schlug er die ersten Akkorde von Beethovens »Ode an die Freude« an.
Die Zuhörer wurden von den majestätischen Klängen in den Bann gezogen und mitgerissen, sie gaben ihren Gefühlen freien Lauf und ließen sich von der Musik forttragen, die Aragons flinke Finger den Tasten entlockte.
Aragon war ein erfahrener Konzertpianist, sein Gesicht blieb unbeweglich, während seine Augen verwundert über die Noten liefen. Waren das die richtigen?
Gefühl und Tempo ist anders, dachte er, es klingt nicht wie Beethoven. Aber ich spiele die Noten, die hier stehen. Verwirrt spielte er weiter.
Hermalinda rutschte unruhig auf ihrem Stuhl hin und her. Sie sah ins Programmblatt. Schließlich sprang sie auf. »Halt!« schrie sie gellend.
Aragon war mit einem Satz auf den Füßen. »Entfernen Sie sich unverzüglich, Sie unverschämtes Frauenzimmer!«
Ein erschrockenes Beben lief durch das ganze Publikum bei dieser unerwarteten Unterbrechung.
»Das ist nicht Beethovens Neunte Symphonie«, kreischte sie. »Sie sind ein Betrüger!«
»Wie bitte? Dann sagen Sie uns doch«, fragte Aragon spöttisch, »woher Sie das so genau wissen wollen? Eine gewöhnliche Schneiderin!«
»Weil ich Ludwig einen Anzug schneiderte, während er dieses Stück komponierte«, antwortete sie arrogant. »Ich kenne jede Note auswendig.«
Das war Zorros Stichwort. Seine Stimme schallte laut durch die Taverne: »Und es ist eine einprägsame Melodie.«
»Zorro!« rief Victoria, als sie ihn auf der Galerie entdeckte.

Hermalinda stieß einen so durchdringenden Hilfeschrei aus, daß er von den Ausläufern des San-Gabriel-Gebirges widerhallte: »Luis!«

Der Alcalde fuhr von seinem Sessel auf, als der Schrei in seinem Büro von den weißgekalkten Lehmwänden abprallte. Er stürzte hinter seinen Bergen von Akten auf dem Schreibtisch hervor und rannte über die Plaza.

»Señorita«, sprach Zorro weiter, »müssen Sie immer so laut sein?« Mit einem wagemutigen Sprung von der Treppe ergriff er den Kronleuchter, der an der Decke hing. Die Frauen, die darunter saßen, schlugen die Hände vor den Mund und hielten ängstlich die Luft an, während die Unterkiefer der Männer vor bewunderndem Staunen herunterfielen. Zorro landete behende neben Victoria auf dem Boden und führte ihre Hände zu seinen Lippen.
»Señorita Escalante«, flüsterte er, »Ihre Schönheit kann selbst Beethovens Musik nicht übertreffen.«
»Ich nehme an, Sie sind nicht gekommen, nur um der Wirtin Schmeicheleien zuzuflüstern!« schrie Hermalinda.
»Das ist richtig«, antwortete Zorro. Dann wandte er sich an das gesamte Publikum: »Ich bin gekommen, um den pfeifenden Dieb zu entlarven.«
Die Menge summte vor Aufregung. Bolanos stand neben Aragon, sie sahen sich verunsichert an.
In diesem Augenblick platzte der Alcalde zur Tavernentür herein. »Hermalinda, ich hörte dich ...« Er entdeckte den Maskierten. »Zorro!« Er brüllte zur Tür hinaus: »Soldaten!«
»Was diese Familie für ein Geschrei veranstaltet«, sagte Zorro leise zu Victoria, die ihn zustimmend anlächelte.
»Mendoza«, rief der Alcalde, »warum stehen Sie hier herum? Verhaften Sie den Mann!«

»Ich würde es gerne tun, Alcalde, aber ...« er sah an seiner Kleidung hinunter, »ich trage keine Uniform mehr.«
»Was macht das für einen Unterschied?« schrie er.
»Außerdem, Señor«, stieß Mendoza hervor, »war Zorro gerade im Begriff, den pfeifenden Dieb zu entlarven.«
»Er – was?« erwiderte der Alcalde erstaunt.
»Ja, Alcalde«, warf Zorro ein. »Sehen Sie, Beethoven hat die Neunte Symphonie erst vor sechs Monaten vollendet. Und da der freche Dieb ununterbrochen genau diese Melodie vor sich hin pfiff, muß er selbst logischerweise erst kürzlich aus Europa gekommen sein. Das heißt, wir haben drei Verdächtige ...«
Alle Augen wandten sich Bolanos, Aragon und Hermalinda zu. Der Botaniker zerrte unbehaglich an seinem Kragen. Aragon faltete und löste wiederholt nervös seine Hände auf dem Rükken. Nur Hermalinda starrte hochnäsig in die Menge.
Zorro ließ seine Ausführungen etwas wirken, dann wandte er sich abrupt Hermalinda zu. »Aber allein der Dieb würde merken, daß ich heimlich eine Seite der Partitur vertauscht habe.« Er trat einen Schritt auf sie zu. »Sie, Señorita!«
Die Soldaten umringten sie.
»Hermalinda ist der Dieb?« sagte Ramon verblüfft und dachte einen Augenblick über diese Anschuldigung nach. »Lächerlich! Sie versuchen nur, meine Familie in Verruf zu bringen«, gab er dann zurück und winkte den Soldaten: »Ergreift ihn!«
Zwei Männer stürzten auf Zorro zu. Er packte den ersten, drückte mit einer ruckartigen Bewegung dessen Kopf auf die Tasten des Klaviers hinunter und schlug den Deckel zu.
Tut mir leid um deinen Kopf und um mein Klavier, dachte Zorro, während der Soldat bewußtlos zu Boden ging, hoffentlich habe ich beide nicht zu sehr beschädigt.
Dann wandte er sich an Señor Aragon. »Verzeihen Sie, Señor. Vermutlich werden wir es neu stimmen müssen.« Noch bevor er erneut Atem holte, griff er den zweiten Soldaten an. Er riß

einen Stuhl hoch und klemmte den Mann zwischen den Füßen ein. Mit einem kraftvollen Stoß warf er den gefangenen Soldaten nach rückwärts, wo er mit zwei herzueilenden Männern zusammenprallte. Alle drei purzelten übereinander wie Kegel, die von der Kugel getroffen wurden, und fielen zu Boden.
Wütend zog der Alcalde den Degen und griff selbst in den Kampf ein. Zorro warf ihm ein erfreutes Lächeln zu, ehe er angriff. Er trieb den Alcalde mit kraftvollen Hieben auf die erste Reihe der Stühle. Der Meisterschaftsdegen von Sir Edmund Kendall begann sich in seiner Hand zu verselbständigen. Mit flüssigen Bewegungen, Zielgenauigkeit und unerbittlichem Nachsetzen gewann sein meisterliches Können die Oberhand.
Die Männer im Publikum begleiteten Zorros Fechtkunst mit Bravorufen, auch wenn sie seiner schnellen Beinarbeit aus dem Weg gehen mußten. Der Maskierte verfolgte den Alcalde. Von Stuhl zu Stuhl springend beeindruckte er die staunende Menge immer stärker und zwang den Alcalde, nach hinten zurückzuweichen. Wie ein Mann, der dem Abgrund immer näher kommt, verringerten sich Ramons Aussichten auf einen Sieg, je mehr er sich dem letzten Stuhl in der Reihe näherte.
Doch der Alcalde kämpfte. Mit weit ausholenden Hieben zielte er nach Zorros Beinen. Aber der Maskierte hüpfte nur leicht hoch und wich dem Degen des Alcalde spielend aus wie ein Kind beim Seilspringen. Der Alcalde versuchte einen Angriff mit Tiefschlägen, wobei er annahm, daß Zorro niedrigere Hiebe schwerer würde parieren können. Ramon wußte, um zu gewinnen, mußte er jetzt mit äußerster Schnelligkeit und Entschlossenheit einen letzten Angriff starten. Dann mußte sofort ein gewaltiger Schlag auf Zorros Degen folgen.
Zorro zwang Ramon, auf den letzten Stuhl zurückzuspringen. Er schwankte. Die Menge hielt die Luft an, doch er fand sein Gleichgewicht wieder. Feuer glühte in seinen Augen. Ramon setzte zum letzten Vorstoß an. Er landete einen kraftvollen

Schlag auf Zorros Degen, den der Maskierte wie erwartet abwehrte. In der nächsten Sekunde stieß der Alcalde mit aller Wut, die in ihm kochte, vorwärts und stach auf seinen Gegner ein.

Zorro reagierte instinktiv und stoppte den Stoß mit einer klassischen Verteidigung. Sein Degen schliff an Ramons Klinge hinunter bis zum Heft. Mit einer Hand stieß er den Alcalde rückwärts vom Stuhl, so daß er auf den Boden krachte, wo Zorro ihn entwaffnete. Besiegt lag der Alcalde vor dem Konzertpublikum, den Degen seines Feindes an der Kehle.

»Ich möchte meinen Besuch nicht zu lange ausdehnen, Alcalde, aber bevor ich gehe, muß ich Ihrer Kusine zu ihrem neuen Kleid gratulieren«, lächelte Zorro.

Hermalinda errötete vor Stolz. »Sehr freundlich von Ihnen, daß Sie das bemerkt haben. Ich sehe, Ihr berühmter Charme hat Sie nicht verlassen«, versuchte sie ihren Beschuldiger zu umgarnen. »Ich hab es nur ganz rasch zusammengewürfelt«, fügte sie hinzu und spielte bescheiden die mühsame Näharbeit herunter, die dazu nötig gewesen war.

»Ab und zu entwerfe ich auch Stoffmuster«, antwortete Zorro mit bedeutsamem Lächeln und schnitt ein »Z« in die Jacke des Alcalde. Ramon fauchte giftig. »Aber, aber«, tadelte Zorro. »Wir müssen lernen, unser Temperament im Zaum zu halten.«

Der Alcalde wand sich vor ohnmächtigem Zorn unter Zorros Klinge.

»Erlauben Sie mir den Hinweis, Señorita Hermalinda, daß Ihnen Ihre Schöpfung wie angegossen sitzt«, fügte Zorro hinzu. »In der Tat, ich muß sagen, Ihre Nähkunst übertrifft mein kleines Zickzackmuster bei weitem.« Die Worte waren kaum aus seinem Mund, da klaffte auch schon ein »Z« in Hermalindas Rock.

Sie kreischte auf. Münzen und Schmuck kullerten daraus

zu Boden. Sie hatte die gestohlenen Sachen in das Futter ihres weiten Rockes eingenäht. Ihre Arroganz verging angesichts der für jedermann sichtbaren Beweise. In der Taverne wurde es still. Hermalinda suchte den Raum nach einem freundlichen Gesicht ab. Sie fühlte sich allein gelassen in einem Meer fremder Ankläger. Schließlich fiel ihr Blick auf Mendoza, und sie lächelte ihn zaghaft an. Mendoza kräuselte den Mund zu einem erzwungenen halben Lächeln. Sie entspannte sich und gewann ihre überhebliche Haltung zurück.

»Ich glaube, den Rest der Beute dieses pfeifenden Diebes finden Sie in ihrem Gepäck versteckt«, sagte Zorro. Ruhig nahm er seinen Degen von der Kehle des Alcalde und erlaubte seinem Gegner aufzustehen.

»Kusine!« versetzte der Alcalde mit einer Mischung aus Überraschung, Scham und Erleichterung.

Hermalinda ist ein Dieb! dachte er. Nun müssen sich die Behörden mit ihren Betrügereien befassen. Und ich habe sie los!

Bolanos trat kühn nach vorn. »Ich nehme hiermit im Namen des Königs diese Frau in Gewahrsam.«

»Sie sind doch Botaniker«, bemerkte Victoria erstaunt.

»Ein bloßer Deckmantel, Señorita. Ich bin hier, um diese Frau zu beschatten«, verkündete er und zeigte mit dem Finger auf Hermalinda. »Wir hatten sie schon länger im Verdacht, daß sie der Dieb ist, der überall in Europa pfeifend die Leute beraubt.«

Aufgeregtes Geschnatter entstand in der Menge, während Bolanos sich an Zorro wandte. »Muchas gracias, Señor! Ich könnte einen Mann wie Sie in Madrid gut gebrauchen.«

Da machte der Alcalde seine Autorität und Machtstellung wieder geltend. Er blickte Zorro an. »Dieser Mann geht nicht nach Madrid oder sonstwohin. Dieser Mann ist verhaftet!«

»Als Angehöriger der Königlichen Polizei seiner Majestät König Ferdinands glaube ich, bin ich der Ranghöhere von uns, Alcalde«, griff Bolanos ein. »Zorro ist frei und kann gehen.« Wäh-

rend Luis Ramon wütend die Zähne zusammenbiß, schüttelte Bolanos Zorro die Hand. Dann führte er Hermalinda aus der Taverne.
Zur Feier der Verhaftung des Diebes und der Tatsache, daß Hermalinda nun für immer außer Sicht war, begann Aragon, die »Ode an die Freude« zu spielen. Die Zuhörer kehrten zu ihren Sitzen zurück.
»Eine fesselnde Melodie, nicht wahr?« lachte Zorro ehe er die Treppe hochlief. Oben beugte er sich aus dem Fenster und pfiff nach Tornado. Vielleicht sollte ich in Zukunft auch diese Beethoven-Melodie pfeifen, wenn ich ihn rufe, überlegte er in sich hineinlächelnd. Es wäre eine bleibende Erinnerung an den pfeifenden Dieb!

Ein glückliches Ende

Felipe, Diego und drei Arbeiter betraten am nächsten Morgen die Taverne. Sie fanden Victoria beim Aufräumen der Gläser hinter der Bar vor.
»Buenos dias, Victoria«, grüßte Diego. »Wir möchten das Klavier abholen.«
»Nur zu, Diego«, antwortete sie. »Du hast etwas versäumt gestern abend.«
»Ich habe es gehört. Wenn ich mir vorstelle, eine Schneiderin wie Hermalinda verkleidet sich als pfeifender Dieb«, sagte er, »und dann diese ausgefallene Idee, den Dieb damit hereinzulegen, indem man ein Musikstück verändert ...«
»Nur Zorro konnte so etwas einfallen«, stellte Victoria fest.
Ich nehme das Kompliment für Zorro an, dachte Diego. Er wies die Arbeiter an, mit dem Zerlegen des Klaviers zu beginnen. »Mein Vater war sehr froh, als er die gestohlenen Sachen wie-

derbekam. Das kleine Bild von meiner Mutter lag ihm am meisten am Herzen.«
»Ja, wir sind Zorro alle sehr dankbar«, pflichtete sie ihm bei mit einem Anflug von Sehnsucht in der Stimme.
»Don Diego!« rief eine Stimme von oben.
Diego sah die Treppe hinauf. Er zwang sich, die Stirn zu runzeln, als er Aragon herabsteigen sah.
»Bitte, seien Sie nicht böse«, sagte der Pianist, »Ich entschuldige mich dafür, daß ich unser Abendessen vorgestern vergessen habe. Ich sollte keine Vereinbarungen treffen vor einem Auftritt. Die Aufregung macht mich jedesmal so nervös und erregt, daß ich vor Erschöpfung ab und zu in einen langen, tiefen Schlaf falle. Victoria war nicht da, als ich von Ihrem schönen Zuhause zurückkehrte. Ich legte mich hin, weil ich etwas schlafen wollte, und wissen Sie, was passierte? Ich habe die ganze Nacht durchgeschlafen!«
Er war unten und streckte Diego die Hand hin. Dieser zögerte einen Augenblick und sah zu Victoria hinüber. Mit einem Kopfnicken bedeutete sie ihm, Aragons Hand zu ergreifen. »Man muß Nachsicht haben mit der Empfindsamkeit eines Künstlers«, lächelte er und schüttelte die schlanke Hand des Pianisten. »Soll ich Sie zur Postkutsche bringen?«
»Das wäre sehr freundlich«, antwortete Aragon. Er verbeugte sich tief vor Victoria. »Señorita Escalante, ich danke Ihnen für Ihre Gastfreundschaft.«
Sie knickste zur Antwort: »Es war mir ein Vergnügen, Señor.«
Aragon küßte ihr die Hand und ging dann mit Diego hinaus. Felipe folgte ihnen. Die Postkutsche aus San Pedro wartete bereits, frisch geputzt und mit reparierten Rädern.
»Auf meiner Rückreise bis zum Schiff werde ich vielleicht etwas komponieren, zur Erinnerung an meinen Besuch in Kalifornien«, sagte Aragon.
»Welche Ehre«, antwortete Diego.

Der Kutscher öffnete die Tür, um Aragon einsteigen zu lassen.
»Es wird mir ein Vergnügen sein, allein zu reisen. Das weite, trockene Land mit dem klaren blauen Himmel darüber wird mich inspirieren ... ich werde ein Meisterwerk schaffen«, schwärmte Aragon.
»Halten Sie die Postkutsche auf!« rief die Stimme des Alcalde. Mit großen Schritten kam er quer über die Plaza. Bolanos folgte ihm mit Hermalinda, und den Schluß bildete Mendoza.
»Señor Aragon«, rief Bolanos, »wir reisen mit Ihnen nach Spanien zurück.«
»Oh, nein!« Aragon sank enttäuscht auf den Sitz in der Kutsche und schlug die Hände vor das Gesicht.
Der Alcalde wandte sich an Hermalinda: »Also, Kusine, ich bin sicher, ich sehe dich heute für lange Zeit zum letzten Mal.« Er konnte seine Freude kaum verbergen. Sie lächelte nur hochmütig.
»Fünf Jahre, nehme ich an«, sagte Bolanos.
»Ausgezeichnet«, grinste der Alcalde.
»Luis, ich habe dich schon als Junge nicht leiden können, aber als Mann bist du unausstehlich!« zischte Hermalinda.
Dann wandte sie sich an Mendoza und sagte mit honigsüßer Stimme:
»Fünf Jahre sind keine lange Zeit, Don Jaime. Versprechen Sie mir, daß Sie mich nicht vergessen?«
»Niemals, Señorita«, antwortete Mendoza, »glauben Sie mir.« Der Gedanke, Hermalinda noch einmal in die Hände zu fallen, machte ihn schwindlig.
Diego trat neben den Sergeant, während Hermalinda in die Kutsche kletterte. Bolanos stieg nach ihr ein und schloß die Tür.
Verächtlich sagte Hermalinda zu Aragon: »Nun, Sie Klavierspieler, wie viele gute Komponisten haben Sie in letzter Zeit noch niedergemacht?«

Aragons Wutschrei ging im Gerumpel der Kutsche unter, als die Räder über den Boden des Pueblos ratterten.

»Gott sei Dank, sie ist weg!« riefen Mendoza und der Alcalde einstimmig.

»Darf ich Sie zu einem kleinen Frühstück in der Taverne einladen?« fragte Diego Mendoza.

»O nein«, lehnte Mendoza ab. »Ich kann nicht, ich habe zu tun«, und nickte zum Alcalde hin. »Vielleicht ein andermal, wenn ich ihn überredet habe, mir meinen alten Posten zurückzugeben.«

Dem Mann muß etwas auf dem Herzen liegen, sagte Diego zu sich selbst. Früher hätte Mendoza niemals wegen der Arbeit ein Essen ausgeschlagen. Ich glaube, das Leben als Don hat ihm bewußt gemacht, was er will und was er kann. Ich bin gespannt, wie lange das anhält.

Diego fühlte eine unangenehme Hand auf seiner Schulter. »Diego, mich würde interessieren, wie weit Sie mit Ihrer Geschichte von Los Angeles gekommen sind«, sagte der Alcalde. »Was würden Sie sagen, wenn ich Ihnen bei einem gemeinsamen Frühstück meine Rolle bei der Bildung einer starken zentralen Regierung schildern würde?«

»Danke, Alcalde«, antwortete Diego, »aber ich habe noch für mein letztes Vorhaben eine Menge Arbeit zu erledigen. Es geht um die Geschlechterfolge der Stammeshäuptlinge der Chumash. Meiner Meinung nach ist es absolut wichtig, eine genaue Beschreibung ihrer Stammesführung zu erstellen, ehe sie ihr Amt weitervererben, meinen Sie nicht auch? Sie sind noch jung, wir haben noch viel Zeit, um Ihre Geschichte niederzuschreiben. Aber Graue Eule ist über siebzig, er kann nicht mehr warten ...«

Diego ließ Ramon mit Mendoza mitten auf der Plaza stehen und kehrte still in sich hineinlächelnd zur Taverne zurück.

Auf der Schwelle hielt er an und sah verstohlen zu Mendoza zurück. Der ehemalige Sergeant bedrängte den Alcalde als

ginge es um die Entscheidung eines Kampfes um die Meisterschaft. Er gab nicht nach. Schließlich warf der Alcalde zum Zeichen, daß er sich geschlagen gab, die Arme in die Luft. Mendoza griff nach seiner Hand und schüttelte sie heftig auf und nieder.
Felipe gesellte sich zu Diego vor der Tavernentür. »Ich kann zwar nicht von den Lippen lesen wie du, Felipe, aber ich würde sagen, Don Jaime ist wieder Sergeant Mendoza geworden.«
Felipe lächelte zufrieden. Er begann, die »Ode an die Freude« zu pfeifen. Diego runzelte die Stirn und flüsterte: »Ich glaube, du solltest das auf Tornados Höhle beschränken. Und könntest du bitte eine andere Melodie lernen?« Felipe hielt keck den Kopf hoch, warf Diego ein Lächeln zu und rannte in die Taverne, um beim Kliaviertransport zu helfen.

Kurze Zeit später stürzte Mendoza aufgeregt in die Taverne. »Diego, Victoria – er hat's getan. Er hat mir meinen Posten zurückgegeben. Er sagte, er würde es zwar wahrscheinlich bereuen, aber er sei in großmütiger Stimmung, weil seine Kusine verhaftet und sein Geld wieder da sei. Er sieht es als Belohnung, weil ich mich so um Hermalinda gekümmert habe, während sie sich hier aufhielt.«
»Das ist wunderbar, Sergeant«, sagte Diego mit einem Klaps auf Mendozas Rücken.
»Und noch was, Señorita. Ich habe entschieden, wie ich meine Hacienda mit Kinderstimmen füllen kann«, fuhr Mendoza erregt fort. »Ich werde sie dem Pueblo vermachen, damit dort ein Waisenhaus eingerichtet werden kann.«
Victoria umarmte ihn erfreut: »Sie haben ein Herz aus Gold, Mendoza!«
»Vielleicht, aber kein Gold in den Taschen«, lachte er.
»Mein Vater wird sich sehr freuen, wenn er von Ihrer Großzügigkeit erfährt, Sergeant«, erklärte Diego lächelnd.

»Entschuldigen Sie mich«, sagte Mendoza und eilte hinaus. »Es gibt noch so viel zu tun ...«

Ein paar Abende später erfüllten fröhliche Stimmen Mendozas ehemalige Hacienda. Erneut war ein Fest im Gange, diesmal im neuen Portillo-Waisenhaus. Mendoza stand an der Haustür und empfing die Gäste. Kinder rannten zwischen den Erwachsenen herum. Ihr fröhliches Lachen schallte aus dem Salon in den Garten hinaus.

Maria half Victoria in der Küche. Als Diego und Don Alejandro eintrafen, ging Mendoza auf ihre Kutsche zu. Er übergab die Zügel einem der älteren Jungen. Diego sprang auf Mendozas Seite herunter. Ein Reifen rollte an der anderen Seite vorbei, und Alejandro fing ihn ab, als er ausstieg. Dann ließ er ihn weiterrollen und folgte dem Jungen, der dem Reifen hinterherrannte.

»Sie sind das Bild eines glücklichen Mannes, Mendoza«, bemerkte Diego. Der Sergeant strahlte. »Die Uniform steht Ihnen wirklich gut.«

»Don Diego, es tut mir so gut, wieder in der Kaserne zu sein. Das Leben eines Landadeligen war nichts für mich.«

»Tatsächlich? Ich dachte, Sie wären ein vorzüglicher Don«, neckte ihn Diego.

»Nein«, erwiderte Mendoza, »sehen Sie, Diego, ich war auch eine Waise, und das Militär war Mutter und Vater für mich. Ich bin froh, wieder mein altes Leben führen zu können. Hier weiß ich, was mich von morgens bis abends erwartet. Natürlich esse ich trotzdem gerne Wachteln!« lachte er.

Diego legte ihm den Arm um die Schultern. »Warum, glauben Sie, hat Ihnen der Alcalde Ihren Posten tatsächlich zurückgegeben?«

»Es war nur eine Zeitfrage, Diego«, antwortete Mendoza. »Er kommt ohne mich nicht zurecht.« Die beiden Männer lachten herzhaft.

»Ich glaube, das trifft für alle von uns zu, Sergeant«, sagte Diego.
Während sie plauderten, trieb Gabriella wie eine Glucke ihre Küken ein paar Kinder an ihnen vorüber. Eines der Kleinen warf ein anderes um. Sie hob den schreienden Burschen auf, nahm ihn in die Arme und beruhigte ihn.
»Gabriella versteht sehr gut, mit Kindern umzugehen«, bemerkte Diego.
»Sie hat die Leitung des Waisenhauses übernommen, solange sie noch keine eigenen Kinder hat«, sagte Mendoza stolz. »Sie hat das Putzen und die Neueinrichtung des Hauses organisiert. Die Kinder sind sehr glücklich mit ihr, sie wird eine gute Mutter werden, worüber Jorge sich natürlich freut. Er hat es auch sehr begrüßt, daß sie bei der Führung dieses Haushaltes Erfahrungen für ihren eigenen später sammelt.«
»Was kann man mehr verlangen?« lachte Diego. In diesem Moment lief Alejandro an ihnen vorüber und jagte einem Reifen nach.
»Wie geht es Ihnen, Don Alejandro?« rief Mendoza. »Ihr Rheuma scheint verflogen zu sein!«
Alejandro sah ihn verständnislos an. »Was für ein Rheuma?«
Mendoza blickte wieder Diego an, sein Verdacht war also bestätigt. Rheuma! Er hat die Krankheit seines Vaters als Ausrede benutzt, um nicht zu meinem Abendessen erscheinen zu müssen, weil er vor meinem Gespenst Angst hatte und es nicht zugeben wollte. Sie sollten sich schämen, Don Diego.
Als ob Diego seine Gedanken erraten hätte, sah er weg.
Alejandro legte Mendoza herzlich beide Hände auf die Schultern. »Es war äußerst großzügig von Ihnen, die Hacienda und alle Erträge Ihrer Felder dem Waisenhaus zu vermachen.«
»Wenn ich den Waisen zu einer glücklicheren Kindheit verhelfen kann, als ich sie erlebte, dann ist es das wert«, seufzte Mendoza. Er blickte über das Land, das sich vor ihnen ausbreitete,

und lachte laut hinaus. »Außerdem brauche ich die Hacienda so nötig wie ein Fisch einen Regenschirm. Ich habe bereits ein Zuhause ... gute Freunde! Wer muß denn reich sein?«
»Vielleicht waren Sie schon reich«, sagte Diego, »und wußten es nur nicht.«
Mendoza dachte über diesen Ausspruch eine Weile nach. Maria kam mit einer Platte saftiger Bratenstücke vorbei. Sie lächelte ihn an, und die Kapelle begann zu spielen. Victoria trug einen Korb frischer, duftender Tortillas an ihnen vorüber.
»Wissen Sie, was ein reicher Mann ist?« fragte der Sergeant und folgte Maria mit den Augen. Victoria hielt an, um sie zu begrüßen.
»Ein reicher Mann ist einer, der glücklich ist mit dem, was er hat!« Mendoza lächelte.
Alle vier sahen sich fröhlich an. Dann entschuldigte sich Mendoza, um Maria einzuholen. Er nahm ihr galant das Tablett ab.
»Würden Sie mir diesen Tanz gewähren, Señorita?« fragte er ausgelassen.
»Aber es ist nichts Schlimmes, wenn man noch ein bißchen mehr will ...« sagte Victoria zu Diego mit leichtem Augenzwinkern.

Leseprobe
aus: Zorro – Tote reden nicht
erschienen bei Hoch 1992

Neben dem Büro des Alcalde ertönte ein heller Knall. Eine schwarze Schlange wickelte sich um den überstehenden Querbalken des Dachvorsprunges und spannte sich straff unter dem Gewicht, das von unten an ihr zog. Zwei schwarz behandschuhte Hände, eine über der anderen, arbeiteten sich mühelos an der schlanken geflochtenen Peitsche nach oben. Zorro, der maskierte Kämpfer für die Gerechtigkeit in Alta California, erklomm die Wand und landete mit einem Sprung auf dem Dach.
Als geheimnisvolles Wesen der Nacht trug El Zorro, der Fuchs, alles in Schwarz: Hemd, Hut, Hose, Gürtel, Stiefel, Degenscheide, Peitsche. Niemand konnte erkennen, wer wirklich unter der Verkleidung steckte: Don Diego de la Vega. Nur der verzierte Griff seines Meisterdegens war nicht schwarz.
Zorro rollte rasch seine Peitsche zusammen und steckte die gezähmte Schlange zurück in seinen Gürtel. Dann ging er vorsichtig über das rote Ziegeldach. Am schwarzen Nachthimmel schimmerte der schmale Neumond zwischen blinkenden Sternen. Zorro schlich gebückt weiter, um von den Wachen nicht entdeckt zu werden. Am Lüftungsgitter über dem Büro des Alcalde hielt er an und legte sich flach, um den Alcalde unbemerkt von oben zu beobachten.
Im Laufe des Jahres hatte Zorro oft heimlich durch dieses Gitter gespäht. Seit sich vor mehr als einem Jahr Luis Ramon selbst zum neuen Stadtoberhaupt, zum Alcalde, ernannt hatte, war viel Unheil über die spanische Kolonie Los Angeles gekommen. Deshalb hatte Diegos Vater, Don Alejandro de la Vega, ein wohlhabender Grundbesitzer, seinen Sohn von seinem Universitätsstudium in Madrid zurückgerufen. Der Pueblo brauch-

te jeden Caballero, um sich gegen die Schreckensherrschaft von Ramon zu wehren.

Erfunden hatte Diego die Verkleidung als »El Zorro«, um seinen Vater und seine Geliebte, Victoria Escalante, die Besitzerin der Taverne, zu befreien. Der Alcalde hatte die beiden zu Unrecht ins Gefängnis werfen lassen, weil sie seinen Anordnungen widersprochen hatten.

Diego hatte unbedingt vermeiden müssen, selbst eingesperrt zu werden. Er mußte handeln, ohne vom Alcalde erkannt zu werden, und er mußte allein vorgehen. Obwohl die anderen Caballeros der Stadt die Tyrannei des Alcalde verabscheuten, konnte Diego nicht auf ihre Hilfe zählen. Sie waren spanische Edelleute, der Krone treu ergeben, und wenn sie etwas gegen den Alcalde unternahmen, der ja der offizielle Vertreter der spanischen Regierung in Los Angeles war, würde man sie mit den Aufständischen in Südamerika in Verbindung bringen, die sich gegen die spanische Herrschaft auflehnten. Unter den spanischen Siedlern breitete sich von Chile über Peru und Columbien nach Norden eine Rebellion aus, ähnlich wie die Revolte der amerikanischen Kolonien gegen England. Mexiko konnte das nächste Land sein. Die Caballeros waren strikt gegen eine solche Rebellion, sie waren wie gelähmt vor Angst vor der Vergeltung der Krone.

Diego wußte, daß er sich als einzelner nicht gegen die ganze Militärgarnison stellen konnte, wenn er nicht schlau wie ein Fuchs war. Er verkleidete sich als geisterhafte Nachtgestalt und versetzte damit die abergläubischen Soldaten, die sich vor allem Unbekannten fürchteten, in Angst und Schrecken. Außerdem setzte er sein technisches Wissen und seine meisterhafte Fechtkunst ein. Diego erschuf einen geheimnisvollen Helden, der mit zwei prächtigen Flügeln durch die Luft schwebte, einen Unbekannten, dessen wahres Gesicht noch niemand gesehen hatte, und der plötzlich aus dem Nichts auftauchte. Selbst Don Alejandro wußte nicht, daß dieser Zorro, der ihn aus den mörderischen Händen des Alcalde befreit hatte, sein eigener Sohn war. Obwohl Diego nie vorhatte, die Verkleidung öfter zu benutzen als für diese eine Befreiung, mußte er sie immer wieder zu Hilfe nehmen. Zorro wurde zum Beschützer der Menschen im Pueblo von El Nuestra Señora la Reina de Los Angeles – »Unserer Herrin, der Königin der Engel«. Auf seiner Rückreise von Spanien hatte Diego sich Gedanken darüber gemacht, welche Rolle er nach seiner Rückkehr in Los Angeles übernehmen wollte. Nachdem er »Zorro« erfunden hatte, war die Sache klar. Diego kannte seine Rolle genau, er wußte, was er tun mußte und was er für den Pueblo bedeutete. Er war Zorro, der Held und Rächer der Unterdrückten, die unter dem Alcalde Luis Ramon litten.

Zorro spähte durch das Gitter in das Büro des Alcalde hinunter. Er sah, wie dieser einen Schlüssel aus einem Versteck unter seinem Schreibtisch holte und einen Wandsafe, der hinter dem Bücherregal versteckt war, aufschloß. Mit selbstgefälligem Lachen holte Ramon einen schweren Beutel voller Münzen daraus hervor und ließ ihn auf seinen Schreibtisch plumpsen. Erfreut stülpte er den Beutel um und ließ die Goldmünzen wie einen Wasserstrahl durch seine Finger rieseln.

»Gehört mir, alles mir! Luis Ramon, bald bist du der reichste und mächtigste Mann in ganz Kalifornien!« beglückwünschte er sich selbst. »Meine Idee, die Bauern zur Strafe in Sklavenarbeit den Erdteer* aus den stinkigen Gruben holen zu lassen, hat meine Zukunft abgesichert. Teer ist das beste Abdichtmaterial gegen Wasser. Man braucht ihn für jedes Schiff, das an der Küste anlegt oder repariert wird.«

Er grinste und trat vor einen kleinen, holzgerahmten Spiegel an der Wand. Dort strich er sich über den Schnurrbart, dann zog

* Erdölrückstand, der sich an der Erdoberfläche über Ölfeldern ansammelt.

er sorgfältig seine Weste glatt. »Ja, Luis«, fuhr der Alcalde fort, »dein Vater kann mit dir zufrieden sein!«
Ramon kehrte an seinen Schreibtisch zurück und begann, jeweils zehn Münzen zu einem Stapel aufeinanderzulegen. Zorro wußte, daß er zwar noch eine schwierige Aufgabe vor sich hatte, aber ehe er sich daran machte, würde er sich mit dem Alcalde einen kleinen Spaß erlauben. Er nahm einige kleine Kieselsteine aus seiner Tasche und warf einen davon durch das Gitter. Dabei zielte er so, daß dieser genau auf einem der Münzstapel landete. Eine ganze Pesos-Lawine rollte über den Tisch und auf den Boden. Der Alcalde stieß einen Schrei aus: »Hilfe! Mendoza!«
Ein paar Sekunden später polterte schwerfällig ein verschlafener, rundlicher kleiner Sergeant im Nachthemd herein. Ein paar Münzen rollten auf seine nackten Füße zu, und er begann zu hüpfen: die Pesos waren kalt und kitzelten.
»Führen Sie hier keine Tänze auf, Sie Dummkopf! Helfen Sie mir, die Münzen aufzusammeln!« herrschte ihn der Alcalde an und kniete sich nieder, um das Geld aufzulesen, darunter mehrere Kieselsteine. Er warf die Steinchen zur Seite, ohne sich irgend etwas dabei zu denken.
Mendoza rieb sich die Augen und gähnte ausgiebig, während er sich an das helle Licht gewöhnte. Gehorsam begann er, Münzen aufzuheben. Zorro sah von oben zu und verkniff sich ein Lachen über den komischen Anblick der kriechenden Gestalten unter ihm. Er warf rasch hintereinander dem Alcalde ein Steinchen auf den Kopf und Mendoza eins auf den Hintern. Der Sergeant fuhr auf und sprang maunzend wie eine Katze im Zimmer umher. Mit zornigem Blick sah der Alcalde hoch.
Zorro wich zurück, damit der Alcalde ihn nicht bemerkte, dann stieß er ein paar Laute aus, die so echt klangen, als würden zwei Katzen miteinander raufen.
Der Alcalde brüllte: »Mendoza, Sie werden morgen alle streunenden Katzen im Pueblo einfangen!«

»Wozu denn das?« wollte der Sergeant wissen und rieb sich die Stelle, wo der Kiesel ihn getroffen hatte.

»Ich habe ein Pueblo zu regieren, da will ich nachts nicht von kampfwütigen Katzen belästigt werden!« erklärte er.

»Si, mi Alcalde«, antwortete Mendoza, »aber ...«

»Nichts aber«, befahl Ramon. »Lesen Sie diese Münzen auf, ehe sie uns abhanden kommen.«

»Durch wen denn?« fragte Mendoza vorsichtig. »Es gibt doch nur Sie und mich hier drin und die Mäuse. Die sind übrigens der Grund, warum sie befohlen haben, so viele Katzen anzuschaffen.«

»Wollen Sie meine Befehle kritisieren, Mendoza?« fuhr ihn der Alcalde an.

»Nein, nein, Alcalde«, Mendoza schüttelte den Kopf. »Ich hab die Münzen sofort zusammen.« Er arbeitete bemerkenswert flink für einen Mann, der sichtlich zuviel aß.

Zorro hatte seinen Spaß gehabt, nun kam der ernste Teil dieser Nacht. Nach kurzer Zeit waren die Münzen wieder in Stapeln aufgeschichtet, gezählt und in den Safe zurückgelegt. Ramon zog sich in sein Schlafzimmer zurück und entließ den Sergeant. Als beide laut schnarchten, ließ Zorro sich vom Dach herunter. Er stemmte ein Fenster auf und kletterte ins Büro des Alcalde. Dort schob er die Bücher vor dem Safe weg, holte den Schlüssel unter dem Schreibtisch des Alcalde hervor, öffnete den Safe und holte den Beutel mit den Goldmünzen heraus. Ehe er den Raum verließ, ritzte er mit der Spitze seines Degens auf die Wand neben dem Safe ein »Z«.

Er verließ das Büro durch das gleiche Fenster, durch das er hereingekommen war, dann pfiff er laut. Wie ein Wirbelsturm fegte sein großer schwarzer Hengst Tornado heran. Zorro sprang in den Sattel und zog die Zügel an, Tornado bäumte sich hoch auf, seine Vorderbeine schwangen durch die Luft, sein Kopf wölbte sich majestätisch gegen den Himmel.